LA FILLE DU BRIGAND

NB
poche

EUGÈNE L'ÉCUYER

LA FILLE DU BRIGAND

Avec une présentation de

Michel Lord

Éditions Nota bene

Les Éditions Nota bene remercient le Conseil des Arts du Canada,
la SODEC et le ministère du Patrimoine du Canada
pour leur soutien financier.

Correction des épreuves : Marie Gauvin
Composition et infographie : Isabelle Tousignant
Conception graphique : Anne-Marie Guérineau

Distribution : SOCADIS

ISBN : 2-89518-083-0

Éditions Nota bene
1230, boul. René-Lévesque Ouest
Québec (Qc), G1S 1W2

PRÉSENTATION

DIABOLISATION ET MIRABILISATION DE L'IMAGINAIRE QUÉBÉCOIS NAISSANT

Comme la plupart des écrivains du Bas-Canada[1], le Lévisien Eugène L'Écuyer commence à écrire très jeune. Il a 22 ans lorsqu'il publie *La fille du brigand,* en 1844. Deux ans plus tôt, il terminait son cours classique au Petit Séminaire de Québec et, au moment de la parution de *La fille du brigand,* il étudie pour devenir notaire, profession qu'il exercera à partir de 1846, et cela, à travers le Québec, à la recherche d'une clientèle rarissime. Homme de lettres au sens fort du terme, surtout pour l'époque, il est considéré à la fois comme un pionnier et un acteur exceptionnel de la scène littéraire au XIXe siècle, avec ses quelque 50 textes publiés, dont 22 nouvelles, 2 romans (*La fille du brigand* et « Christophe Bardinet », 1849), des poèmes et des écrits divers. Phénomène rare pour l'époque où de nombreux « écrivains » publient une œuvre ou deux pour s'assurer un certain renom qui les lancera dans une autre carrière, habituellement en droit ou en politique. Mais comme sa pratique notariale ne l'accapare pas beaucoup, L'Écuyer a le temps, surtout au début de sa carrière, d'écrire nouvelles et romans. Curieusement, en dépit de son acharnement, cela ne se traduira pas par une très forte reconnaissance, sauf peut-être en ce qui concerne *La fille du brigand* qui, après sa première publication

---

1. Le Canada-Uni regroupa de 1840 à 1867 les entités distinctes auparavant connues sur les appellations de Haut et Bas Canada.

dans *Le Ménestrel* (29 août-19 septembre 1844), a droit à une série de six rééditions entre 1848 et 1914. Cette « reconnaissance » lui vient au départ de James Huston, qui lui fait l'honneur de publier *La fille du brigand* en entier dans le volume III du *Répertoire national* (1848). Ce petit roman (en longueur) ou cette *novella* (longue nouvelle) ne connaîtra la publication en volume qu'en 1914[2], soit après la mort de son auteur survenue en 1898, puis tout récemment – quelque 82 ans après la première – dans le tome I des *Meilleurs romans québécois du XIXe siècle*[3].

Longtemps occulté par le premier roman québécois, *L'influence d'un livre* (1837) de Philippe Aubert de Gaspé fils, et par d'autres romans plus célèbres de la même époque (*Les fiancés de 1812* (1844) de Joseph Doutre ou *Une de perdue, deux de trouvées* (1849-1851 ; 1864-1865) de Pierre-Georges Boucher de Boucherville), *La fille du brigand* n'en demeure pas moins une œuvre importante, voire une œuvre phare si l'on veut comprendre les tendances et les tensions de l'imaginaire au milieu de XIXe siècle.

Comme les romans d'Aubert de Gaspé fils, de Doutre et de Boucher de Boucherville, *La fille du brigand* appartient pour une bonne part à l'esthétique dite gothique, c'est-à-dire à ce que les Français appelaient, lorsqu'ils imitaient eux-mêmes le roman gothique anglais, le roman terrifiant ou frénétique, ou encore le roman noir[4]. À l'instar de Horacio Walpole (*Le château*

2. Montréal, Imprimerie Bilodeau.
3. Édition préparée par Gilles Dorion, Saint-Laurent, Fides, 1996.
4. Ce roman noir de la fin du XVIIIe siècle et du début du XIXe siècle est l'ancêtre de ce qu'il est convenu d'appeler aujourd'hui le genre fantastique, mais aussi le « *mystery* ».

d'Otrante[5], 1764), l'instigateur du genre gothique en Angleterre, et d'Ann Radcliffe (*Les mystères du château d'Udolpho*[6], 1794), la « reine » des gothiques, L'Écuyer use des procédés propres à cette esthétique[7]. Ainsi, le « personnel du roman[8] » dans le roman gothique est avant tout de trois types fortement stéréotypés : le vilain terrifiant (le méchant agresseur), le héros (le jeune chevalier sauveur) et la victime terrifiée (la jeune héroïne éplorée). Le premier, intelligent et perfide, cherche à nuire à (ou à profiter de) la dernière, en ayant l'air de vouloir la protéger. Le héros amoureux de la jeune victime, et qui est payé de retour, vient au secours de la belle en l'arrachant des griffes du vilain. Après moult aventures et maints obstacles et rebondissements, tout finit qui finit bien et la morale appuie ce triomphe du bien de manière insistante : le vilain est démasqué et puni, et les jeunes gens peuvent s'aimer librement et se marier, ce que la critique anglo-saxonne désigne simplement par le syntagme *happy ending* et que Northrop Frye[9] range dans la catégorie du *mythos* comique. Cela nous rappelle que, à sa façon, l'esthétique gothique est fondée sur une forme de métissage des

5. Titre original : *The Castle of Otranto.*

6. Titre original : *The Mysteries of Udolpho.*

7. Pour une explication détaillée des lois du genre gothique, voir mon ouvrage intitulé *En quête du roman gothique québécois 1837-1860. Tradition littéraire et imaginaire romanesque.* Deuxième édition, revue et corrigée, Québec, Nuit blanche éditeur, 1994, 180 p. (Coll. « Études ».)

8. J'emprunte cette expression à Philippe Hamon, d'après le titre de son ouvrage *Le personnel du roman* (Genève, Librairie Droz, 1983).

9. Northrop FRYE, *Anatomie de la critique*, Paris, Gallimard, 1969, v. p. 435.

« genres » ou des sous-genres, le terrifiant et le comique, la terreur et le bonheur, formes éternelles du pâtir et du jouir se trouvant conjoints syntagmatiquement dans le récit. Je reprends ici en les modifiant les remarques de Paul Ricœur[10] sur l'agir et le pâtir, en jouant sur les termes « agir » et « jouir », car il me semble y avoir une corrélation dans le roman gothique entre ce qui fait office d'agent transformateur du récit et la jouissance que les personnages en retirent après avoir longtemps pâti. Le roman gothique, et *La fille du brigand* ne fait pas exception à la règle, célèbre la jouissance, mais il s'agit d'une jouissance de la règle, de la bienséance, de la Loi, ce en quoi il est fondamentalement (ou apparemment ?) conventionnel et traditionnel.

Je ferai ici quelques remarques relatives à cette « soumission » à la « règle », l'une concernant l'auteur, l'autre la société de l'époque, dans l'intention d'esquisser une explication du phénomène. D'abord, avançons que l'on aurait pu s'attendre à ce que L'Écuyer, tout jeune homme qu'il est au moment de la rédaction de *La fille du brigand*, soit « révolutionnaire », qu'il ait le goût de ruer dans les brancards. Il le fera plus tard à sa façon en tant que notaire, bien que sans succès, en cherchant à dénoncer les pratiques déloyales de certains collègues[11]. Lorsqu'il rédige *La fille du brigand,* L'Écuyer est toujours étudiant en notariat et l'enseignement qu'il reçoit porte précisément sur les

10. Paul Ricœur, *Temps et récit.* T. I : *L'intrigue et le récit d'histoire*, Paris, Éditions du Seuil, 1983, v. p. 136 et suivantes. (Coll. « Points ».)

11. Voir Maurice Lemire et Denis Saint-Jacques (dir.), *La vie littéraire au Québec*, t. III : *1840-1869*, Sainte-Foy, Les Presses de l'Université Laval, 1996, p. 115.

règles qui régularisent certains types d'échanges entre humains. Ainsi y aurait-il un lien possible entre la pratique d'un genre réglé (le gothique) et d'une profession régulatrice (le droit notarial), tous deux tendant vers la résolution heureuse et harmonieuse de toute forme de conflit/commerce humain. Dès lors, nous pourrions voir dans la punition des méchants et la récompense des honnêtes gens, mises en discours dans *La fille du brigand,* l'empreinte auctoriale du notaire L'Écuyer en formation, qui puise à même l'imaginaire une forme qui diffracte ses préoccupations professionnelles.

Bien que cette interprétation soit discutable, il reste que la relation de L'Écuyer à son texte, à l'imaginaire et à sa profession recèle une problématique qui déborde largement sur le social. Car il y a plus. Rappelons que cette période suit de peu les révoltes patriotiques bas-canadiennes (1837-1838) et la publication du Rapport Durham (1840) dans lequel l'émissaire anglais soutient sans vergogne que les Canadiens forment « un peuple sans histoire ni littérature[12] ». Pour choquant que cette assertion puisse paraître, il appert que, de la Défaite de 1759 à la Rébellion de 1837, les Canadiens avaient vécu relativement retirés sur leurs terres, mis à part les escarmouches parlementaires, menées entre autres par Louis-Joseph Papineau

12. « There can hardly be conceived a nationality more destitute of all that can invigorate and elevate a people, than that which is exhibited by the descendants of the French in Lower Canada, owing to their retaining their peculiar language and manners. They are a people with no history, and no literature », John George LAMBTON, 1er comte de Durham, *Report of the Affairs of British North America*, 1839, p. 95. Cité dans *La vie littéraire au Québec,* t. III, *op. cit.*, p. xxiv.

et son parti, et par certains journalistes, parmi lesquels se distingue Étienne Parent, rédacteur du journal *Le Canadien*. Mais ces patriotes et ces intellectuels, qui faisaient avancer l'Histoire, ont été tôt ou tard terrassés par le pouvoir colonial anglais. Sans doute que, pour Durham, un peuple n'avait une histoire que lorsqu'il réussissait à s'imposer sur son territoire. Ce qui restait (et est encore) à faire au Québec.

Il demeure que, pour mince qu'elle était, les Canadiens avaient tout de même une courte histoire ; il n'en était pas exactement de même du côté de la littérature. Sur ce point, Durham avait sans doute raison : même si, depuis les années 1760, des textes littéraires paraissaient dans les périodiques, ce qu'on appelle de nos jours l'industrie du livre et l'institution littéraire étaient alors inexistantes ; le premier roman en volume paraît en volume était publié en 1837, au cœur même de l'époque des fameux Troubles, et fort peu d'œuvres significatives étaient parues avant que Durham ne fasse sa célèbre déclaration. C'est donc pour ainsi dire dans une sorte de champ apparemment vierge que les écrivains de la décennie de 1840 se sont mis à créer leurs œuvres. Dans ce sens, ils menaient un combat auquel Joseph Doutre fait écho dans sa préface des *Fiancés de 1812* : « Notre but principal est de donner quelqu'essor à la littérature parmi nous, si toutefois il est possible de la tirer de son état de léthargie[13] ».

De manière plus feutrée, cette lutte pour l'épiphanie de la littérature au Canada français, Eugène L'Écuyer la menait lui aussi, et il est même un des pion-

---

13. Joseph DOUTRE, *Les fiancés de 1812*, 2e édition, Montréal, Réédition-Québec, 1973, [n. p.]

niers qui a travaillé avec le plus d'acharnement pour ce faire. Pas étonnant dans ce contexte que l'imaginaire mis en œuvre dans les premières œuvres du corpus romanesque québécois ait été un imaginaire de combat : contre le mal, le vilain, l'oppression, et pour le triomphe du bien.

Ce détour par le social et l'historique nous ramène justement à ce qui fait une bonne part, sinon l'essentiel de la littérature : l'esthétique. Car il faut derechef rappeler que si le terrain littéraire semble désert, il ne l'est pas vraiment. S'il n'existe pas de modèle littéraire canadien en tant que tel, il reste que les Canadiens de l'époque écrivent selon un modèle, soit le modèle européen. Il est ironique toutefois de constater que si, au plan politique, les élites canadiennes se battent contre le colonialisme anglais, en littérature en revanche, ils vont puiser leur premier modèle romanesque (le gothique) chez ces mêmes Anglais. Notons qu'il s'agit d'abord et avant tout d'un effet de mode, Balzac lui-même, avant qu'il ne se mette à *La comédie humaine* (*Argow le pirate,* 1824, sous le pseudonyme d'Horace de Saint-Aubin ; *La peau de chagrin*, 1831 ; *Melmoth réconcilié*[14], 1835), Charles Nodier (*Jean Sbogar*, 1818) et autres Pétrus Borel (*Champavert. Contes immoraux*, 1833), parmi bien d'autres romantiques français, pratiquaient allégrement à la même époque le genre noir/gothique/frénétique.

C'est donc dire que les Canadiens ne sont pas les seuls dans ce mouvement d'« imitation » gothique. Mais, au contraire de la plupart des Européens, ils ne retiennent pas toutes les composantes du genre,

14. Ce dernier récit a d'ailleurs été publié au Bas-Canada.

euphémisant par exemple la part « fantastique » et parfois l'« héroïsme » dans leurs récits. Ils conservent par ailleurs, nous l'avons souligné, l'intrigue type de ce que l'on pourrait appeler le triangle infernal/ amoureux, le vilain étant souvent décrit comme une créature de l'enfer, lubrique, alors que le héros se concentre – mais pas toujours dans le roman bas-canadien – sur l'aspect valeureux de la relation avec la victime qu'il sort des griffes du monstre. Les trois types de personnages, s'ils ne sont pas confrontés au fantastique pur, se comportent toutefois à la manière des personnages de l'époque. Ils entrent en transe, se convulsent, tremblent, s'arrachent les cheveux, se ruent sur les pierres, frémissent, s'évanouissent, bref ont toutes les caractéristiques des personnages du roman frénétique. Toutes choses qui sont en abondance dans *La fille du brigand,* exception faite de l'aspect « valeureux » du héros.

À ces descriptions d'états des personnages qui ponctuent de manière régulière le roman de L'Écuyer, il faut ajouter l'un des éléments essentiels du roman gothique : la description de l'espace. Une des caractéristiques les plus fondamentales du roman terrifiant tient au fait que le décor surdétermine les personnages. Le vilain, qu'il soit seul ou avec d'autres, est généralement accompagné d'un décor nocturne, de tempêtes, d'orages, de grottes, de souterrains, tous des lieux sombres qui signalent son aspect « noir », terrifiant, et qui préfigurent sa fin dans des prisons obscures et infectes, et même sa mort. La forêt et la grotte sont aussi mises à profit, donnant ainsi une touche « canadienne », c'est-à-dire naturelle, à l'imaginaire gothique habituellement campé dans des châteaux dans les romans européens (bien que la forêt ait été aussi utilisée entre autres par Ann Radcliffe). De grands arbres sombres structurant l'espace « céleste » (comme dans le rêve[15] précédant l'enlèvement au chapitre XI : « un nuage noir se forma un peu plus haut que la cime des sapins ») et les profondeurs chtoniennes, terriennes, de la grotte forment le paysage vertical[16] dans lequel le vilain fait ses ravages.

En revanche, le héros et la victime de *La fille du brigand*, sont en règle générale campés dans des espaces naturellement beaux, où le vilain ne vient que très rarement (comme un vampire qui n'aimerait pas la vie diurne). Ainsi, le roman s'ouvre sur un soir de tempête, décor[17] qui encadre l'apparition du vilain Maître Jacques dans l'auberge infâme (sorte de grotte en ruine) de Mme La Troupe, alors que c'est le jour qui sert de décor aux agissement du héros Stéphane au début du chapitre II. Puis au chapitre III, le narrateur campe la victime Helmina, dans un beau décor

15. Notons au passage un autre procédé type du roman gothique exploité dans *La fille du brigand* : le rêve prémonitoire, à valeur quasi fantastique, comme si l'héroïne avait le pouvoir de prévoir (voir d'avance, dans une autre dimension, les malheurs qui s'annoncent, qu'elle pressent).

16. Verticalité qui sous-tend l'ascension sociale ou morale du héros et de la victime, mais encore plus la chute du vilain.

17. On objectera que Stéphane, son adjuvant Émile et Helmina sont aussi présents dans ce décor terrifiant. Mais compte tenu de la problématique du roman, il appert que le procédé de l'orage terrible et de l'auberge taudiesque dans laquelle on entre « par une porte enfoncée dans le sol », concourt à créer l'effet d'une véritable descente aux enfers où Maître Jacques est le maître du jeu, le diable en personne, tout à fait dans son élément. C'est d'ailleurs au moment où « [l]'orage [est] à sa plus grande fureur » que Maître Jacques entre dans l'auberge.

champêtre à Sainte-Foy. De la même manière, au chapitre XII, le ciel vient transformer le décor terrible de la grotte où Helmina et Julienne sont laissées à elles-mêmes. Le démoniaque Maître Jacques éloigné de la grotte, ce sont des anges qui prennent le relais et viennent rassurer les captives et promettre leur délivrance. Des êtres célestes effacent les traces impures laissées par le vilain.

Si nous nous attachons maintenant à la description physique des personnages, nous voyons se profiler une autre stratégie, qui crée dans un sens le suspense : Maître Jacques – comme d'ailleurs ses acolytes, dont Maurice – est dépeint comme un homme mystérieux et secret qui n'est pas sans qualité bien que sa description soit justement contrastée pour signaler qu'on a affaire à un fourbe qui se cache sous des apparences ou un comportement trompeurs, car il est « d'une physionomie grossière et rebutante, mais d'un caractère assez doux et accessible ». La plupart des brigands décrits au chapitre V sont eux aussi tous plus ou moins contrastés : assez beau, mais féroce (Lampsac), d'allure insignifiante, mais futé (Bouleau). Il y a aussi un adolescent de 15 ans, Mouflard, jeune scélérat, mais à l'esprit vif. Maurice, le gardien d'Helmina, est un homme « dépravé », car il est complice de Maître Jacques, mais le narrateur prend soin d'intervenir directement dans la narration à la fin du chapitre VI pour expliquer pourquoi il se transforme un bon personnage : « il conservait en lui un reste de pitié, de compassion, surtout pour les malheureux [...] il était tendre et sensible ».

Quant à la victime, Helmina, elle est peinte d'un seul bloc ; parfaite, pure, vertueuse comme un ange, éplorée aussi, correspondant en cela parfaitement au type gothique. Par contre, le héros, de son côté, déroge un tant soit peu à la règle. Force est d'admettre que Stéphane n'a pas l'envergure du valeureux chevalier sauveur ; il craint la réaction que son père aura lorsqu'il saura qu'il aime une jeune fille de naissance obscure, a peur de Maître Jacques lorsqu'il apprend qui il est, et laisse son serviteur Magloire et son adjuvant Émile faire tout le travail, lui-même sombrant dans une fièvre, des transes frénétiques et des hallucinations qui le plongent dans la terreur et même la stupeur. Le moins que l'on puisse dire, même s'il correspond au type frénétique, c'est qu'il est campé en héros banalisé. Ce choix de L'Écuyer paraît des plus étranges, car il s'agit bien d'une décision auctoriale. Pourquoi en effet avoir choisi de camper ce jeune homme tremblant d'amour, mais aussi de peur, prêt à sacrifier celle qu'il aime d'amour fou aux diktats des conventions paternelles et familiales ? Pourquoi ce « héros » soumis[18] à la Loi ? Ce serait trop simpliste d'en faire la métaphore du Canadien de l'époque, soumis aux règles de la Loi et de l'Ordre immuables. Il reste que le tableau se révèle très conservateur et que nous sommes loin du roman « révolutionnaire » où le héros est prêt à mourir pour une cause ou à se sacrifier pour sa bien-aimée. Il est tout de même curieux de constater qu'autant le vilain est fort (et que lui, se sacrifie), autant le « héros » est faible. Et pourtant, c'est le parti de ce dernier qui triomphe, laissant finalement entendre que ceux qui ont l'air d'être les plus forts sont souvent les plus faibles, et vice

---

18. Héros soumis : n'est-ce pas un oxymoron, une contradiction dans les termes ? C'est pourtant le cas de Stéphane.

versa, ces derniers, faut-il le rappeler, étant aidés par un puissant Adjuvant, le Ciel lui-même.

En somme, ce roman, sous ses airs gothiques, serait un hommage à la douceur, à la force tranquille de la Loi divine qui a raison de tout et par laquelle – dans ce type d'imaginaire – l'Ordre est toujours rétabli sur terre. Que le ciel vienne en aide aux amoureux, cela tiendrait au fait que la société canadienne de cette époque, croyante et catholique, vit sous la Loi chrétienne (ou plutôt une certaine conception de celle-ci) et que cette Loi, ce code, est plus fort que tout code littéraire. Il est intéressant de rappeler que, dans le roman gothique anglais, le vilain est souvent un catholique et même un prêtre catholique pervers (voir *L'Italien*[19] (1797) de Ann Radcliffe ou, mieux, *Le moine*[20] (1796) de Matthew Gregory Lewis). Au Québec, le terrain s'est déplacé pour dépouiller le vilain de toute relation à la religion (sinon pour en faire une créature de l'enfer, un véritable diable) et pour donner à celle-ci – du moins dans son imagerie édifiante – un rôle d'adjuvant réel (l'ange dans la scène de la caverne) et virtuellement actif, dans la morale finale énoncée par M. D., le père de Stéphane : « Puissiez-vous apprendre dans ce passage subit de l'infortune au bonheur le plus parfait à ne jamais désespérer de la Providence ».

Bien que ce roman soit visiblement daté (ne le sont-ils pas tous ?), il demeure un fait : *La fille du brigand* est un portrait éloquent – et même frémissant – de l'inconscient collectif et de l'imaginaire québécois à une époque où les Canadiens vivent sans doute encore

---

19. Titre original : *The Italian.*
20. Titre original : *The Monk. A Romance.*

sous l'effet du choc de la Rébellion des Patriotes. Contraints entre différentes forces (religieuses, politiques, esthétiques, sociales…), ils sont à la recherche d'un nouvel ordre des choses, d'un nouveau modèle de société. Sans doute est-ce la raison pour laquelle nous trouvons là également une des sources de l'idéologie messianique qui se mettra en place au tournant du XIXe siècle ?

Michel Lord
Université de Toronto

I

UNE PREMIÈRE ENTREVUE

C'était à la fin d'une journée de septembre ; le soleil venait de disparaître derrière les montagnes et ne mêlait plus à leur sombre verdure que les derniers reflets d'une teinte de sang. De gros nuages couleur d'encre roulaient rapidement dans l'atmosphère et commençaient à jeter sur la nature l'ombre d'une nuit d'orage et de terreur. On entendait au loin le sourd murmure des flots du Saint-Laurent, le bruit monotone de la chute de Montmorency, le sifflement du vent qui s'engouffrait violemment dans les sentiers tortueux qui avoisinent la porte Saint-Louis et se brisait avec fracas sur les vieux murs qui les bordent. Déjà l'écho des solitudes répétait par intervalle les roulements du tonnerre et l'éclair sillonnait les ombres de la tempête.

Huit heures sonnaient aux horloges du quartier Saint-Louis ; les rues de Québec étaient désertes ; un silence effrayant régnait sur la ville. Tout annonçait une de ces nuits de vol et de meurtre que les citoyens ne voyaient arriver qu'avec crainte et qu'ils passaient dans des transes horribles. Québec vivait alors dans une époque de sang : époque à jamais mémorable dans les annales du crime, à jamais ineffaçable sur les murs des prisons ; époque de dégradation, où on avait chaque jour à enregistrer un nouveau meurtre, à punir un nouveau crime !

Une seule lumière brillait encore dans une petite auberge du faubourg Saint-Louis, unique et mauvais refuge qu'avaient pu trouver trois jeunes surpris par l'orage qui venait de commencer avec les symptômes les plus menaçants. C'était une chétive cabane, basse et humide, autrefois peinturée, surmontée d'une énorme enseigne portant en grosses lettres jaunes cette inscription :

AUBERGE DU FAUBOURG SAINT-LOUIS
par
Mme LA TROUPE

Quatre petites fenêtres, dont les vitres avaient été presque toutes cassées et remplacées par des fonds de chapeau et de gros paquets de linge, éclairaient ce taudis. On y entrait par une porte enfoncée dans le sol et, après avoir descendu dans l'intérieur trois ou quatre degrés, on se trouvait vis-à-vis d'un comptoir peint en bleu foncé, où étaient réunis pêle-mêle des mesures sales et rouillées, des verres estropiés, des bouteilles vides et renversées. Les murs avaient été jaunis et tachés par la fumée d'une mauvaise lampe suspendue au plafond et qui répandait dans l'appartement une lumière blafarde et une odeur forte et désagréable.

Dans le fond de cette première chambre on apercevait une autre porte vitrée qui donnait dans une espèce de salon un peu plus relevé, destiné aux « gentlemen ». Cette chambre n'était éclairée que par deux vitraux entourés de mauvais rideaux tout troués, mais assez propres. Une longue table carrée la traversait d'un bout à l'autre ; vis-à-vis était un sofa de paille fixé au mur, au-dessus duquel était représenté, sur une toile peinte et d'une manière assez peu fidèle, le portrait de Napoléon.

Enfin trois chaises de bois et une autre petite table ronde complétaient tout l'ameublement de ce salon, où étaient réunis en ce moment nos trois gentilshommes, que nous nommerons Stéphane, Émile et Henri, auxquels l'hôtesse faisait les compliments et les demandes d'usage.

Mme La Troupe était une femme d'environ trente ans, grande, robuste et assez bien faite. Elle conservait encore un reste de beauté peu commune ; mais ses traits, autrefois réguliers, avaient été bouleversés par l'eau-de-vie, ses yeux rougis par des veilles continuelles, et son large front s'était couvert de rides précoces et de cicatrices. Malgré ces désavantages extérieurs, Mme La Troupe savait plaire par ses manières polies et engageantes, par son sourire gracieux et avenant, par le ton d'élévation qu'elle savait prendre avec des gens qu'elle croyait devoir respecter et qui lui paraissaient appartenir à une classe assez élevée.

Aussi, en présence de ses nouveaux hôtes, Mme La Troupe ne négligea-t-elle rien pour leur faire une réception dans les formes ; elle montra tant de grâces, tant de politesse exquise, que nos jeunes gens auraient cru avoir affaire à une dame de première qualité, s'ils n'avaient eu dans ce qui les entourait une preuve suffisante du contraire.

— Eh bien ! messieurs, leur dit-elle en donnant un de ses sourires les plus mignons, que prenez-vous ce soir ? un verre de bière ? un verre de vin chaud ? Ce dernier, je crois, serait préférable, n'est-ce pas ? Au reste, choisissez, messieurs, j'ai du vin supérieur en bouteille, de la bière fraîche, du gin de Hollande, du brandy…

— Apportez-nous du vin, madame, dit Stéphane qui, en remarquant l'air d'affectation que Mme La Troupe prenait, ne put s'empêcher de rire en levant les épaules.

— C'est bien, monsieur, vous allez être servi dans l'instant.

Et Mme La Troupe se retira en saluant avec courtoisie.

— Quel air de dégradation, dit Stéphane en s'adressant à ses amis ; et pourtant n'est-il pas étonnant de rencontrer dans une femme qui ne vit qu'avec le rebut de la société un tel raffinement de politesse ?

— En effet cela paraît drôle, dit Émile ; mais n'allez pas croire, Stéphane, que cette femme a toujours été ce qu'elle est aujourd'hui.

— Comment savez-vous cela ? dit Henri.

— C'est une simple supposition que je fais, Henri, et je la crois assez fondée ; il n'est pas possible qu'une femme puisse apprendre la politesse avec des gens qui l'ignorent absolument ; la politesse ne s'acquiert qu'avec une bonne éducation.

— Vous avez raison, Émile, dit Stéphane : cette femme peut avoir et doit nécessairement avoir été bien élevée. Qui sait ? elle appartient peut-être à une famille respectable ; il y a tant d'exemples à présent qui nous prouvent qu'une pareille dégradation est possible et même facile.

L'hôtesse entra à ce moment avec une bouteille de vin cachetée et demanda à Stéphane la permission d'introduire avec eux un homme et une jeune fille qui venaient d'arriver.

— Une jeune fille dehors dans un pareil temps ! voilà du mystérieux. Et d'où viennent-ils, s'il vous plaît ? dit Stéphane en débouchant la bouteille et en faisant une grimace dédaigneuse, à l'odeur et au goût aigre et amer du vin falsifié qu'elle contenait.

— Je l'ignore, monsieur, seulement ils paraissent venir de loin, ils sont en voiture et tout couverts de boue et d'eau.

Faites-les entrer, madame, quels qu'ils soient.

L'orage était alors à sa plus grande fureur ; le tonnerre venait de tomber à quelques pieds de l'auberge ; l'éclair sillonnait en tout sens l'atmosphère qui paraissait comme un océan de feu ; la pluie tombait par torrents ; le vent faisait craquer horriblement le toit et les pans de la maison.

— Ciel ! quel orage, dit Henri, en allant fermer une fenêtre qui venait de s'ouvrir avec violence, je n'ai jamais rien vu de si effrayant.

Mme La Troupe venait d'entrer avec les nouveaux personnages qu'elle venait d'annoncer et avec qui elle paraissait être en parfaite connaissance ; elle les introduisit sous le nom de M. Jacques et Mlle Jacques. M. Jacques salua froidement et s'empara du vieux sofa avec sa fille.

— Vous prenez quelque chose, maître Jacques ? dit Mme La Troupe.

— Oui, la mère, un verre de « gin » pour moi. Et toi, ma chère, que prends-tu, hein ? Apportez-lui un verre de cidre, s'il vous plaît.

Et maître Jacques tira de sa poche une vieille bourse de cuir et remit une pièce d'argent à l'hôtesse.

Stéphane et ses amis le considéraient avec attention ; tous trois ne pouvaient se lasser d'admirer les charmes de sa fille qui, de son côté, jetait de temps en temps les yeux sur Stéphane, assis le plus près d'elle. Helmina n'avait pas encore seize ans ; elle était à cet âge bouillant de la jeunesse où les passions commencent à naître dans le cœur et à se refléter au-dehors. Helmina était un de ces types de beauté régulière, de candeur enfantine que le peintre n'a pu encore retracer avec précision, que le poète n'a pu chanter dignement.

Son visage faiblement ovale, et d'une blancheur éblouissante mêlée à l'incarnat de la rose, était encadré dans des boucles de cheveux d'un noir d'ébène qui retombaient et flottaient sur un cou d'albâtre. Ses yeux noirs, légèrement soulevés, brillaient sur son beau front, poli comme le marbre. Elle portait un chapeau de paille jaune surmonté d'une plume blanche, qui ne lui couvrait que le haut de la tête. Une robe de mérinos rouge foncé, presque collée sur elle par la pluie, dessinait merveilleusement sa taille bien proportionnée et donnait une faible idée du contour régulier de ses bras et de ses épaules. Ses mains blanches et potelées se croisaient comme d'elles-mêmes chaque fois que l'éclair brillait. Elle était assise près de son père, le regardait avec tendresse, et lui souriait avec grâce en laissant apercevoir ses dents d'ivoire et ses lèvres de corail.

Maître Jacques, son père, pouvait avoir quarante ans tout au plus ; il était d'une taille moyenne, mais bien conditionnée, d'une physionomie grossière et rebutante, mais d'un caractère assez doux et accessible. Il portait ce soir-là un large manteau de drap bleu qui lui descendait jusqu'aux talons, un chapeau de castor gris presque tout usé qui lui couvrait une partie du front ; des pantalons couleur de poussière, une veste à l'antique, munie d'énormes boutons de corne, et traversée en tout sens par une chaîne de cuivre doré, un fichu de soie noire qui contrastait avec une chemise très blanche ; tel était à peu près l'accoutrement de maître Jacques, accoutrement qui, ainsi que celui de sa fille, ne laissait pas d'être très propre et assez à la mode.

À en juger par l'air extérieur, maître Jacques devait être un homme respectable ; aussi Stéphane s'approcha-t-il avec confiance et commença à lier conversation avec lui tandis que sa fille alla sécher ses vêtements près d'un bon feu que l'hôtesse venait d'allumer dans un autre appartement.

— Vous avez là, M. Jacques, une charmante enfant, dit Stéphane suivant des yeux la jeune fille.

— Vous êtes la centième personne qui me faites ce compliment, et pourtant, dit maître Jacques avec une modestie affectée, je ne vois pas qu'il soit mérité.

— Vous vous trompez, M. Jacques, votre fille est bien la plus belle personne que j'aie rencontrée ; mais dites-moi, si toutefois il n'y a pas trop d'indiscrétion à vous le demander, il faut qu'une affaire pressante vous ait engagé à braver un temps aussi terrible ?

— Nullement, monsieur, c'est une simple promenade. Ce matin, vous le savez, le temps était superbe, j'ai voulu satisfaire le goût de la fille en lui faisant admirer tous les beaux sites que Québec nous offre ; cela lui servira pour aujourd'hui de leçon de dessin ; vous conviendrez qu'elle ne peut avoir plus beaux modèles que ceux de la nature.

— Votre demoiselle apprend le dessin, M. Jacques ?

— Oui, monsieur, et la musique aussi ; je ne néglige rien, voyez-vous, pour donner à ma fille la meilleure éducation possible, dit maître Jacques avec orgueil et en toussant avec importance.

— Vous l'avez placée dans un couvent, je suppose ?

— Non pas, monsieur, je l'ai mise en pension chez une dame respectable, et là des maîtres se rendent tous les deux jours pour l'instruire dans toutes les sciences utiles et agréables.

— Voilà qui est bien, fort bien ; si tous les parents se conduisaient comme vous envers leurs enfants, Québec, rempli d'excellents talents, ne le céderait peut-être en rien aux premières villes de l'Europe pour l'éducation.

Pendant cette conversation entre maître Jacques et Stéphane, Émile et Henri en tenaient une autre à voix basse.

— Savez-vous, Henri, dit Émile, en montrant du doigt Stéphane, savez-vous que ce corps-là va devenir amoureux de la jeune fille ? Sur mon âme, je parierais qu'il va en devenir fou ! Voyez-vous ces informations qu'il prend et avec quel plaisir il les reçoit ? Et puis n'avez-vous pas remarqué, il n'y a qu'un instant, ces regards brûlants qu'il lui lançait à la dérobée ? Et la belle, de son côté, ne paraissait pas tout à fait indifférente ; elle rougissait, baissait les yeux, souriait même. Tenez, Henri, il y a quelque chose là-dessous.

— Je suis assez de votre opinion, Émile. Pourtant, comment Stéphane pourrait-il devenir amoureux d'une fille qu'il ne connaît nullement, qu'il n'a encore jamais vue avant aujourd'hui ?

— Bah ! Henri, on dirait que vous ne connaissez pas l'amour ; que vous ignorez qu'il prend ordinairement tout à coup, qu'une seule étincelle suffit pour l'allumer dans un cœur aussi passionné que celui de Stéphane. Au reste, tenez voilà la jeune fille qui revient ; faites-y attention.

Stéphane, en voyant paraître Helmina, se leva et, allant au-devant d'elle, il lui prit la main et la conduisit jusqu'au sofa.

— J'ai craint, mademoiselle, lui dit-il avec douceur et en lui souriant avec amour, que cet orage n'eût pour vous des suites funestes ; mais je vois avec satisfaction qu'il n'en sera rien.

— Vous êtes vraiment trop bon, monsieur, lui dit Helmina, en baissant la vue, et je vous remercie de l'intérêt que vous semblez me porter.

Maître Jacques fronça le sourcil ; Émile coudoya légèrement Henri qui, de son côté, fit à Stéphane un signe d'encouragement accompagné d'un sourire qui le fit rougir ; mais il ne fit pas semblant d'avoir compris.

— Eh bien ! dit Émile à l'oreille d'Henri, ne vous l'ai-je pas dit ?

— Ma foi oui, dit Henri, ça en a pas mal l'air.

Cependant l'orage avait entièrement cessé ; la lune commençait à percer les nuages ; on n'entendait plus que le pas lourd et traînant du « watchman ». Maître Jacques se leva tout d'une pièce et les poings sur les côtés, et après avoir dédaigneusement jeté les yeux dans la chambre, il sortit avec sa fille en saluant du bout de ses doigts.

Un instant après on entendit le bruit d'une voiture qui se dirigeait dans le chemin qui conduit aux plaines d'Abraham.

II

CE QUE PEUT UNE ÉTINCELLE

Le jour n'était pas bien loin de paraître ; l'aurore avait remplacé les ténèbres épaisses de la nuit ; Stéphane frappait à la porte d'une vaste maison en pierre grise située au centre de la ville. En arrivant dans sa chambre il s'était mis au lit dans l'espérance de goûter quelque repos après la marche et les fatigues d'une nuit comme celle qui venait de finir ; mais il ne pouvait chasser loin de lui l'image de la jeune fille qu'il avait rencontrée. Helmina était toujours devant lui ; il ne pouvait se dissimuler que cet intérêt qu'il lui portait comme malgré lui n'était autre chose que l'influence d'un amour naissant. Mais tout en retraçant à son esprit les charmes de la jeune fille, Stéphane ne pouvait s'empêcher de faire des réflexions bien amères sur l'ignorance où il était de son existence et de sa famille, parce qu'il savait que son père, homme rigide et orgueilleux, ne souffrirait pas qu'il vînt à s'amuser à une fille de naissance obscure et de fortune médiocre. Et pourtant Stéphane était porté à croire que maître Jacques, malgré son air de respectabilité et de grandeur, n'appartenait pas à une classe bien élevée.

Voici comment il raisonnait :

Maître Jacques était en parfaite connaissance avec Mme La Troupe qui, de son côté, paraissait très familière avec lui. Maître Jacques paraissait très bien accoutumé dans l'auberge du faubourg Saint-Louis, il y venait donc souvent ; et comme Mme La Troupe ne vivait qu'avec la dernière société, comme la maison qu'elle tenait n'était fréquentée que par des misérables, il n'était pas probable que maître Jacques en eût été un des habitués, s'il eût appartenu à une classe tant soit peu respectable. De plus, maître Jacques n'entraînerait pas sa fille chez Mme La Troupe si, comme il s'en était vanté, il n'épargnait rien pour son éducation et s'il avait tant à cœur de la bien élever.

Telles étaient, entre beaucoup d'autres, les réflexions que Stéphane faisait ; il résolut de chercher au plus vite des informations auprès de Mme La Troupe, et de lui demander, sans l'informer de ses intentions, des renseignements sur celui avec qui elle paraissait si familière et qu'il avait lui-même tant intérêt à connaître. Il s'endormit enfin dans cette résolution ; mais il n'avait pas reposé une heure qu'il fut éveillé par quelqu'un qui le tirait du bras :

— Stéphane, levez-vous ; diable ! mon ami, comme vous êtes paresseux ce matin ! J'ai pourtant marché et veillé autant que vous et voilà deux heures que je suis debout.

— Eh ! c'est vous, Émile ? dit Stéphane en s'éveillant en sursaut et en se frottant les yeux ; mais qui vous emmène donc si matin ?

— Rien, mon cher, que l'intérêt que je vous porte. Après une entrevue comme celle d'hier au soir, dit malicieusement Émile, vous avez dû passer une nuit agréable, accompagnée d'heureux songes.

— Que voulez-vous dire, Émile ? dit Stéphane en rougissant.

— Ce que je veux dire ? bah, Stéphane, ne diraiton pas que vous voulez en faire un mystère ? Croyezvous que je ne me souviens plus de la petite « cocotte » qui vous a si bien « emmiellé » hier au soir ?

— Mais vous badinez, Émile.

— Point du tout, monsieur le réservé ; je parle très sérieusement, aussi sérieusement que vous agissez.

— Encore une fois, Émile, expliquez-vous.

— Dans l'instant ; dites-moi franchement, mon cher Stéphane, n'est-il pas vrai que la jeune Helmina, la fille de maître Jacques pour parler plus clairement, a laissé dans votre cœur une impression ineffaçable ? N'est-il pas vrai que vous y pensez à tout instant, que vous donneriez beaucoup pour la connaître plus particulièrement ?

Émile fixa Stéphane avec attention.

— Quand cela serait vrai, dit Stéphane troublé, qu'en concluriez-vous ?

— Eh bien ! si cela était, continua Émile avec triomphe, comment appelleriez-vous cet intérêt que vous lui portez, et si cela n'était pas vrai, comment me le prouveriez-vous après l'empressement que vous avez montré hier ?

— Soit, dit Stéphane poussé au pied du mur, je veux croire avec vous que Helmina m'a intéressé, je veux croire à toutes les bonnes intentions que vous voulez bien me prêter ; mais encore une fois, qu'en conclurez-vous ?

— Pardi, ce que tout autre en conclurait : que vous l'aimez, et diablement encore.

— Vous vous trompez, Émile ; ce n'est que de l'amitié, dit Stéphane en affectant un air d'indifférence.

— De l'amitié avec une personne avec laquelle on n'a eu aucune relation, aucune liaison, vous n'y pensez pas, Stéphane ; l'amitié ne prend pas si vite que cela, au lieu que l'amour n'a besoin, pour naître, que d'un simple regard, que d'une seule parole. Allons, mon cher ami, n'essayez plus à faire un secret de votre amour ; dites que vous l'aimez et n'en ayez pas honte ; c'est une charmante petite fille, sur mon âme !

— Oui. Est-elle de votre goût ?

— Tellement de mon goût que, si j'étais comme vous en état de choisir une belle, je n'en prendrais jamais d'autre que cette *poupée.*

— Vous la prendriez même sans la connaître, Émile ?

— Comment, sans la connaître ? Il me suffirait de connaître sa naissance, et voilà tout.

— Et si elle était d'une naissance obscure ?

— Peu importe, pourvu qu'elle fût honnête.

— Mais si votre père s'opposait à votre union ?

— J'attendrais jusqu'à l'âge de majorité ; mon père n'aurait plus rien à dire alors.

— Et en vous mariant ainsi, Émile, ne croiriez-vous pas mal agir envers votre père ?

— Point du tout, mon cher Stéphane. Comment, parce qu'il plairait à mon père de refuser son consentement à mon union pour la seule raison que mon amante est pauvre ou d'une maison obscure, je devrais abandonner une jeune fille que j'aime, qui m'aime de même et qui peut faire mon bonheur, une jeune fille qui quelquefois aura peut-être refusé vingt autres partis pour moi ? Quel est, mon cher Stéphane, quel est le père assez déraisonnable, assez peu doué de jugement pour en agir ainsi ? Quel est le père qui se laissera guider par un orgueil assez mal placé, par un intérêt assez sordide, pour abandonner son fils parce qu'il se mariera avec une jeune et tendre fille qui n'aura peut-être d'autre défaut que le malheur d'une naissance obscure, ou d'une fortune médiocre ?

— Cet homme déraisonnable, mon cher Émile, dit Stéphane en hésitant, vous le trouverez dans mon père.

— Votre père !

— Oui, Émile, mon père ; et s'il m'est permis de le dire, c'est là son seul défaut ; il est trop épris de lui-même, trop fier de son origine et de sa fortune ; tellement fier que si j'osais me marier contre sa volonté, il me retirerait d'abord son amitié qui n'a pas de bornes pour moi, et serait capable de me déshériter.

— Vous m'étonnez, mon cher Stéphane, votre père… Pardonnez-moi que je viens de dire…

— Vous avez bien dit, Émile, très bien dit ; je suis de votre avis, et malgré cela, vous le dirais-je ? je crois que je laisserais une fille que j'adorerais pour conserver les bonnes grâces de mon père.

— Vous ne le pourriez jamais, j'en suis persuadé.

— Jamais ! mais que me conseilleriez-vous donc de faire si je me trouvais dans un pareil dilemme ?

— Je serais bien en peine, Stéphane ; je crois qu'alors votre propre conseil vaudrait mieux que celui de tout autre.

Stéphane s'appuya le front sur le dossier d'une chaise et sembla anéanti dans de profondes réflexions ; puis, se relevant tout à coup et jetant sur Émile un regard confus et douloureux :

— Je ne vous le cacherai plus, mon cher Émile : j'aime cette jeune fille ; oui, je l'aime plus que je ne l'avais pensé d'abord ; je sens dans mes veines le feu de l'amour qui me consume ; et cependant, mon cher ami, ajouta-t-il en versant des larmes abondantes, vous voyez que cet amour est sans espoir. Les réflexions que j'ai faites hier au soir me font craindre beaucoup que cette jeune fille ne soit en effet d'une naissance peu élevée ; mais je le jurerais sur mon âme, oui, il me semble que je le jurerais avec confiance, Helmina est une enfant qui embellirait mon existence, je le sens au-dedans de moi. Je suis persuadé que son âme est aussi pure que celle d'un ange, que ses sentiments sont nobles et élevés, que ses qualités sont rares et précieuses ; et cependant, Émile, n'est-il pas pénible pour moi d'être obligé de l'abandonner parce qu'elle n'est pas issue de parents nobles ? Ah ! Émile, s'il ne tenait qu'à moi, je l'épouserais, oui, je l'épouserais quand même elle serait la fille du dernier des hommes, puisqu'elle est honnête, belle et vertueuse.

— N'anticipez pas sur les événements, mon cher Stéphane. Qui sait ? les difficultés que vous vous figurez n'existent peut-être pas ; il est même possible qu'elle appartienne à une famille respectable et c'est tout ce que votre père demande ; si au contraire la fortune est contre vous, il n'est pas possible que votre père, que vous dites si indulgent pour vous, se refuse à votre mariage, en voyant votre amour, en remarquant les charmes et les vertus d'Helmina. Non, Stéphane, j'en ai la ferme conviction, votre père bénira toujours une union qui, sans reposer sur la fortune et la noblesse, produira des fruits précieux, les plus précieux que l'on puisse désirer, puisqu'elle reposera sur la vertu et l'amitié.

— Puissiez-vous dire vrai, je serais trop heureux !

— Espérez donc, et si vous me le permettez, je me joindrai à vous pour chercher toutes les informations nécessaires sur l'existence de la jeune fille, et j'irai avec vous me jeter aux genoux de votre père, si les renseignements que nous recueillerons ne lui conviennent pas.

— Merci, Émile, merci, dit Stéphane en le serrant dans ses bras. Que je suis fortuné d'avoir un véritable ami comme vous ; car s'il est vrai que le devoir d'un ami est de partager et de diminuer la douleur de son ami, de lui offrir ses services, oh ! Émile, je puis dire que vous l'accomplissez d'une manière irréprochable.

— Si vous le voulez, Stéphane, dit Émile pour rompre une conversation qui affectait sa sensibilité, demain nous irons ensemble chez Mme La Troupe quand la nuit sera close ; nous emmènerons avec nous le gros Magloire ; car je vous avouerai franchement que je redoute de traverser le soir ces rues écartées, ordinairement infestées de brigands et de malfaiteurs.

— Vous êtes prudent, Émile, mais je vous dirai qu'en emmenant le gros Magloire, je crains encore quelque chose de plus que les voleurs.

— Que craignez-vous ?

— Mon père. S'il apprenait que j'entre dans une maison pareille, je ne sais ce qu'il en arriverait ; d'ailleurs, mon cher ami, soyez persuadé que notre réputation en souffrirait si…

— Vous avez raison, quoique je ne doute nullement de la discrétion de Magloire. Cependant il vaut mieux aller seuls. À demain donc, Stéphane, à sept heures du soir ; préparez vos pistolets.

— Un mot encore, s'il vous plaît, Émile ; que le secret que je viens de vous dire soit entre nous seuls jusqu'à ce que je puisse le divulguer moi-même d'une manière avantageuse pour mon intérêt.

— Ne craignez rien, la suite vous donnera une nouvelle preuve de ma discrétion. Espérez tout de l'avenir, la persévérance couronnera notre entreprise. Adieu.

Stéphane conduisit son ami jusque dans la rue.

— Oh ! j'oubliais de vous dire, dit Émile en revenant sur ses pas, qu'on a arrêté ce matin trois voleurs sur les plaines d'Abraham.

— Grâces à Dieu, dit Stéphane avec satisfaction ; il faut espérer qu'on arrêtera bientôt tous les autres. Et après avoir serré encore une fois la main de son ami, il remonta dans sa chambre.

III

COMME QUOI L'AMOUR SE COMMUNIQUE

À l'entrée de Sainte-Foye, sur une petite éminence, était située une jolie petite maison proprement blanchie, avec des contrevents noirs ; on y arrivait par une avenue étroite, bordée de sapins et d'érables. Le soleil venait de se lever et éclairait de ses rayons d'or cette charmante habitation ; des oiseaux perchés sur toutes les branches et sous le toit de la chaumière faisaient entendre leurs doux ramages, mêlés au murmure d'un petit ruisseau qui coulait au pied du coteau et allait se perdre au milieu du gazon et des fleurs des prairies environnantes. Une calèche verte et presque entièrement couverte de boue était renversée sur le pan de la maison. Maître Jacques et sa fille venaient d'arriver. Une grosse paysanne joufflue, en jupon d'étoffe, nommée Madelon, et une petite fille joviale et élancée s'empressaient de couvrir une table de porc fumé, de légumes et de lait chaud.

Maître Jacques et Helmina étaient assis sur un banc de jonc vis-à-vis d'un feu ardent allumé dans l'âtre. Helmina tenait constamment la vue baissée.

— Dépêche-toi, Madelon, dit maître Jacques, dépêche-toi, je ne puis faire long séjour ici.

— Dans un instant, maître Jacques ; oh dame ! par exemple, vous n's'rez pas servi comme à l'*Albion*, j'n'ons pas eu l'temps pour ça.

— N'importe ce que tu auras, ma bonne fille, nous avons faim, tout est superbe alors, n'est-ce pas, Helmina ? Mais dis donc, ma fille, comme tu as l'air triste aujourd'hui ! Que diable pourtant, ma mignonne, indépendamment de l'orage que nous avons essuyé, tu as eu assez d'agrément dans ta promenade. Hein ! pas vrai ?

— C'est vrai, mon père, j'ai goûté d'autant plus de plaisir avec vous qu'il m'arrive rarement de jouir aussi longtemps de votre présence.

— Bravo ! mon enfant, dit maître Jacques avec contentement ; voilà qui est bien répondu, sur mon âme. Viens m'embrasser, Helmina, tu es maintenant mon unique consolation sur la terre.

Helmina sauta au cou de son père et l'embrassa avec effusion. Maître Jacques aperçut une grosse larme sur la joue pâle de sa fille.

— Helmina, lui dit-il avec un air de douceur, tu pleures, je vois bien que tu me caches quelque chose ; si tu savais comme ce manque de confiance de ta part m'afflige.

— Je n'ai point de secret pour vous, mon père ; cette larme m'est arrachée par l'amitié que je vous porte, par la séparation que vous allez faire. Oh ! mon père, pourquoi aussi ne pas toujours demeurer avec moi ? Quelles affaires si multipliées peuvent vous retenir aussi longtemps absent ?

Maître Jacques fronça les sourcils ; il éluda promptement les questions de sa fille.

— J'espère, Helmina, qu'un jour je pourrai vivre continuellement avec toi ; ne te chagrine pas, mon enfant. En attendant tu ne manqueras de rien, tu auras tout ce qui te fera plaisir ; mais sois gaie, ma chère, heureuse ; imite ta petite compagne Julienne ; regarde-la, elle est toujours comme l'oiseau sur la branche, chantant, sautant ; imite-la, ma fille.

— Ah ! bien oui, la Julienne, dit Madelon avec humeur, elle saute bien qu'trop, elle, par exemple ; j'vous dis, maître Jacques, qu'il n'y a pas à en jouir, ma bonne vérité.

— Allons, de la patience, Madelon, elle est jeune, elle deviendra plus sage.

Et maître Jacques s'approcha de la table, et se mit à manger ave précipitation et appétit.

— Dieu le veuille ! dit Madelon en prenant de suite deux ou trois prises de tabac.

Le mari de Madelon venait d'atteler le cheval de maître Jacques.

— Adieu donc, Helmina, dit maître Jacques, je reviendrai dans quinze jours au plus tard, sois bonne fille.

Maître Jacques monta dans sa grosse calèche et partit en faisant claquer son fouet. Helmina se retira dans sa chambre pour pleurer plus librement.

— C'est toujours bien curieux, Maurice, dit Madelon en s'adressant à son mari, que c't'homme-là n'a pas encore passé ici c'qui s'appelle une journée depuis que nous avons sa fille.

— Eh bien quoi ! dit Maurice avec rudesse, c'est qu'il a d's'affaires, c't'homme.

— Mais d's'affaires tant que tu voudras, à la fin, un homme n'est pas un chien, faut qu'il se r'pose.

— Qui t'a dit à toi qu'il n'se r'posait pas ailleurs ?

— V'là c'que j'voudrais savoir. J'cré, ma parole d'honneur, que tu manigances avec lui, Maurice, dit Madelon en le regardant attentivement. Tu m'as l'air à connaître quelque chose.

— Tiens, te voilà encore avec tes croyances, dit Maurice en devenant pâle. Comment ça, si tu veux ?

— Comment ça ? Parce que d'abord tu as toujours comme lui de l'argent à pleine poche, et ensuite parce que vous vous parlez toujours à l'oreille. Pourquoi ne contez-vous pas vos affaires tout haut ?

— Pourquoi ? dit Maurice d'un air embarrassé, parce que… dame, parce que… parce que enfin ça n'vous r'garde pas, entends-tu ? On va-t-il fourrer notre nez dans vos affaires, nous autres ? Eh bien ! chacun les siennes.

Madelon, voyant son mari impatienté, n'ajouta plus rien et continua son ouvrage en grommelant.

Maurice sortit.

— C'te pauvre enfant-là a du chagrin que je n'connaissons point, Julienne, dit Madelon en entendant les sanglots entrecoupés d'Helmina. Pauvre enfant, si jeune et tant pleurer, si belle et avoir tant de chagrins ! Là ! là !

— Et pourtant si heureuse ! ajouta Julienne.

— Heureuse, Julienne ? heureuse un peu.

— Pourquoi ? N'a-t-elle pas tout ce qu'il lui faut ?

— C'est vrai, mais n'est-ce pas chicotant au moins pour elle de n'pas connaître encore les affaires de son père, de n'pas savoir queu rang elle tient dans le monde ? Son père est riche, Julienne, c'est vrai ; mais comment amasse-t-il son argent ? Il y a à présent tant de… que sais-je enfin ?

— Que voulez-vous dire ?

— C'que j'veux dire, Julienne ; ma foi, j'veux dire qu'un homme qui se cache comme M. Jacques et qui a toujours comme lui sa bourse bien garnie ne peut faire rien de bien relevé.

— Vous pensez ça ?

— N'ai-je pas raison de l'penser ?

— Comme ça… dit Julienne en remuant la tête ; mais t'nez, je pense, moi, que mademoiselle Helmina a d'autre chose encore sur le cœur ; à son âge, voyez-vous, on commence à avoir des chagrins de jeune fille.

— Des chagrins de jeune fille ? qu'est-c'que t'entends par là, Julienne ?

— J'entends que mademoiselle Helmina peut avoir de l'amour. À seize ans, voyez-vous, on dit qu'c'est le bon temps pour ça.

— Mais comment veux-tu qu'elle aime ? la pauvre enfant, jamais elle ne voit personne ici ; v'là c'qui m'chagrinerait bêtement à sa place : par exemple, on sait bien c'que c'est à la fin, on aime à avoir des amis quand on est jeune.

— Et qui vous a dit que dans les promenades qu'elle a faites avec son père, elle n'a pas rencontré quelqu'un qui lui plût ?

— Ça s'pourrait, ça s'pourrait, Julienne. Oh ! pour le coup, ça s'rait terrible pour elle d'aimer quelqu'un et de ne pouvoir le lui dire ; pauvre Helmina ! Mais je l'saurai, oui, elle me l'dira certainement.

Helmina sortit de sa chambre en ce moment et mit fin à la conversation ; elle était pâle et abattue ; ses yeux rouges et creux dans lesquels on voyait encore rouler des larmes annonçaient qu'elle avait beaucoup pleuré. Elle essaya cependant de paraître gaie, car elle donna à Julienne un sourire forcé qui la remplit de joie.

Helmina et Julienne étaient unies et s'aimaient comme deux sœurs, et cependant leur amitié ne datait que d'un an. C'était maître Jacques qui, pour donner une compagne à sa fille, avait emmené Julienne et la nourrissait chez Maurice. Julienne avait quatorze ans. Elle était d'une beauté commune, mais d'un caractère riche et précieux. Julienne ne connaissait encore ni les peines ni les inquiétudes ; le chagrin n'avait pas encore ridé son front ni troublé son cœur. Toujours riante, toujours heureuse, elle ne connaissait que le jeu et le badinage, elle n'avait d'autres chagrins que ceux qu'elle partageait avec Helmina. Aussi, en la voyant plongée dans la tristesse, elle n'avait pu s'empêcher de verser des larmes ; mais lorsqu'elle la vit sourire, sans penser si ce sourire tenait du désespoir ou de la gaieté, elle sentit dans son cœur la douce espérance et la ferme persuasion qu'elle s'était trompée dans ses conjectures, que le chagrin d'Helmina ne serait que passager et momentané, comme celui qu'elle avait toujours montré chaque fois que maître Jacques l'avait quittée.

Elle s'approcha donc d'Helmina en riant et en sautant.

— Irons-nous dans les champs aujourd'hui, Helmina ? lui demanda-t-elle.

— Oui, ma bonne Julienne, dit Helmina, nous irons cette après-midi. Puis, s'adressant à Madelon : je vais me reposer un peu, lui dit-elle ; vous m'éveillerez à midi, s'il vous plaît. J'ai un mal de tête effrayant.

— Vous êtes malade ? dit Madelon ; je m'en doutais ben qu'vous aviez quelque chose.

Elle suivit Helmina dans sa chambre et demeura auprès d'elle jusqu'à ce qu'elle fût endormie.

Son repos fut assez paisible, seulement de temps en temps elle s'éveillait en sursaut comme si elle eût été sous l'influence de quelque rêve effrayant, ou bien d'une fièvre maligne. Cependant les pulsations régulières de son pouls n'annonçaient rien d'inquiétant, et Madelon en appliquant sa large main sur le front pâle d'Helmina, vit avec plaisir qu'il n'était pas aussi brûlant que lorsqu'elle s'était mise au lit.

Madelon se promit bien de ne pas l'éveiller.

Vous n'irez pas aux champs aujourd'hui, dit elle à Julienne, Helmina est trop malade, il faut qu'elle se r'pose, et j'espère qu'elle sera mieux ben vite.

Mais à midi le bruit que Maurice fit en rentrant rompit le sommeil d'Helmina.

— Pourquoi donc vous lever si tôt, ma chère ? dit Madelon en la voyant paraître. Êtes-vous mieux au moins ?

— Oui, Madelon, je me sens très bien, grâce à vos soins ; assez bien pour accompagner Julienne à la promenade. Vous ne l'avez pas oublié, ma chère ?

— Oh non, allez ! dit Julienne ; pourtant, si cela allait vous rendre malade ?

— Ne craignez rien, Julienne, au contraire, je crois que l'air me rétablira parfaitement.

— Prenez garde, lui dit Maurice d'un ton moitié brusque moitié respectueux ; prenez garde, nous en répondrions à maître Jacques.

Après avoir pris quelque chose, Helmina et Julienne sortirent et se trouvèrent bientôt dans les prés fleuris qui avoisinaient leur habitation.

Il y avait à quelques arpents de la maison une espèce de petit coteau fait en forme de pain de sucre, aplati au sommet et tout couvert de petits sapins qui, par leur verdure et l'entrelacement de leurs branches, formaient un bocage assez épais pour empêcher le soleil d'y pénétrer. Ce jour-là la chaleur était brûlante et excessive, pas le moindre air, pas le moindre souffle.

Helmina, couverte de sueurs, proposa à Julienne d'aller se reposer à l'ombre des branches pour se soustraire un peu aux rayons du soleil.

Aussitôt qu'elles y furent rendues :

— Ma chère amie, dit Helmina en prenant la main de Julienne, si je suis venue aujourd'hui avec vous, ne croyez pas que ce soit uniquement pour faire une promenade ; non, Julienne, j'y suis venue d'abord pour vous faire plaisir, mais surtout, vous le dirais-je ? pour vous confier un secret qui m'accable.

Julienne fixa attentivement Helmina ; elle était d'une pâleur livide ; ses yeux respiraient une mélancolie grave et réfléchie, sa figure un air d'élévation et de douceur angélique. Julienne ne put s'empêcher de frémir en apercevant le changement subit qui venait de s'opérer sur les traits d'Helmina.

— Il y a bientôt six ans que je suis ici, continua Helmina, et depuis ce temps, ma chère Julienne, malgré les peines que j'ai eues, notamment celle que me cause la conduite cachée et mystérieuse de mon père, je n'en ai jamais éprouvé de plus cuisante que celle d'aujourd'hui ; car je vous l'avouerai, Julienne, quoique mon chagrin ne paraisse pas à l'extérieur d'une manière aussi frappante que ce matin, il n'en existe pas moins encore dans mon cœur et m'occupe entièrement. J'aime à vous parler de ma douleur, ma tendre Julienne, parce que je sais que vous m'aiderez à la supporter, parce que je sens qu'il est doux pour une amie de s'épancher dans le cœur de son amie ; et assurément je n'en ai point, je n'en aurai jamais de plus sincère, de plus attachée que vous.

Helmina serra la jeune fille contre son cœur.

— Vous pleurez ! Julienne, que j'aime cette marque de tendresse !

— Hier au soir, ajouta précipitamment Helmina, pour terminer au plus vite une conversation aussi pénible, hier au soir nous entrâmes dans une mauvaise auberge pour laisser passer l'orage.

— Dans une auberge ! dit Julienne tout étonnée, dans une auberge !

— Oui, Julienne, dans une auberge ; que cela ne vous surprenne pas, c'était le seul asile qui nous fût ouvert ; mais ce qui devra vous surprendre autant que moi, c'est que mon père m'a paru connaître depuis longtemps cette infâme maison, et être très familier avec la maîtresse qui se nomme Mme La Troupe.

— Mme La Troupe, dites-vous ?

— Oui, Julienne ; la connaîtriez-vous ? auriez-vous eu des relations avec cette femme ?

— Je vous le dirai dans un autre moment, ma chère Helmina ; continuez, s'il vous plaît. Mme La Troupe aubergiste ! répéta-t-elle à demi-voix, qui l'aurait pensé ?

— Et qui aurait pensé aussi, ma chère Julienne, dit Helmina sans prendre garde à la surprise de son amie, que mon père qui paraît tant se respecter, qui a en effet l'air si respectable, qui aurait pensé qu'il eût des connaissances comme cette Mme La Troupe ? Oh ! je souhaite bien que mes craintes ne se réalisent jamais, mais…

Helmina n'acheva pas, dans la crainte de porter à l'égard de son père, qu'elle respectait d'ailleurs, un jugement trop sévère et trop peu fondé.

— Continuez, dit Julienne, qui, pensant encore à la nouvelle situation de Mme La Troupe, n'avait pas paru prendre garde à ce que Helmina venait de cacher ; continuez, est-ce là votre grand secret ?

— S'il n'y avait que cela, dit Helmina, je me croirais trop heureuse ; sachez donc, Julienne, que dans cette vilaine auberge, j'ai rencontré…

— Un jeune homme ? dit Julienne, pour épargner à Helmina la difficulté d'un pareil aveu. Je m'en doutais, ma chère amie ; ce matin même j'ai cru m'apercevoir que votre chagrin venait de là, j'en ai fait la remarque à Madelon. Mais connaissez-vous son nom ?

— Non, Julienne, dit Helmina d'une voix entrecoupée et en baissant la vue, je ne connais rien de lui et cependant je ne puis chasser son image de mon esprit ; il me semble que je pourrais passer ma vie à l'entendre et à le voir… je le vois partout… enfin, je l'aime, Julienne, oui, je l'aime ; et pourtant vous connaissez mon père, s'il venait à l'apprendre !

Helmina ne put résister plus longtemps, elle se cacha le visage dans ses deux mains et pleura amèrement.

— Pourquoi, ma chère Helmina, vous abandonner à un chagrin aussi terrible, sans connaître les dispositions de votre père ?

— Je ne les connais que trop, Julienne, il me les a apprises plus d'une fois ; il n'y a pas plus que deux semaines encore, si vous saviez le tableau peu avantageux qu'il me fit du mariage et de l'amour ! Et vous croyez qu'aujourd'hui il puisse entendre favorablement…

— Il faut l'essayer.

— Jamais, jamais je ne l'oserai.

— Et si j'osais, moi ?

— Il rira de vous, il ne vous écoutera pas.

— Eh bien ! je conterai tout à Madelon et à Maurice ; votre père ne rira pas de tout le monde, je suppose ; il finira par le croire.

— Prenez garde, Julienne, mon père a une terrible colère ; s'il allait se fâcher !

— Laissez-moi faire, Helmina ; regagnons la maison, il n'est peut-être pas bon pour vous de rester si longtemps dehors ; le soleil commence à baisser, allons.

Helmina s'appuya sur le bras de Julienne.

Elle avait essuyé ses larmes et repris son air de calme et de sérénité apparente. En arrivant chez elles, les jeunes filles se retirèrent dans leur chambre, et Helmina pria Julienne de lui dire ce qu'elle savait de Mme La Troupe. Julienne lui fit le récit suivant, récit peut-être trop naïf et trop détaillé, mais que nous jugeons nécessaire pour la suite de notre histoire et pour mettre en relief le caractère de Julienne.

IV

HISTOIRE DE JULIENNE, DE MME LA TROUPE ET D'HELMINA

« Vous me demandiez tantôt, Helmina, dit Julienne, si je connais Mme La Troupe ; c'était une des meilleures amies de ma pauvre défunte mère. Mme La Troupe était riche alors, bien riche ; vous comprenez maintenant ma surprise, lorsque je vous ai entendue dire qu'elle était aubergiste. Son mari était un des plus gros marchands de nos endroits ; il avait son magasin à trois ou quatre portes de notre maison ; oh ! le beau magasin ! quand j'y pense encore ! C'était le magasin de tout ce qu'il y avait à la mode, de plus riche, de plus précieux. Nous n'avions pas de plus grand plaisir, maman et moi, que d'y voir entrer à toute heure du jour de belles dames, de jolies demoiselles qui ne font et n'ont à faire que cela, à courir les rues et les magasins. Tous les jours c'étaient des carrosses, toutes sortes de belles voitures qui arrivaient devant notre porte ; enfin le magasin était toujours foulé[1] de monde. Vous pouvez penser tout l'argent que M. La Troupe amassait !

« Sans compter son magasin, M. La Troupe avait encore trois ou quatre belles terres qu'il faisait cultiver par des ouvriers ; mon père en était un et jouissait auprès de son bourgeois de la plus haute estime, parce qu'il était vigilant et laborieux : il ne nous voyait que le

1. De l'anglais *full*, plein. *(Note de l'éditeur.)*

dimanche ; toute la semaine, il conduisait à la campagne les travaux de la ferme.

« Mme La Troupe aimait, comme je vous l'ai dit, beaucoup ma mère ; elles avaient été élevées ensemble ; elle la faisait travailler et la récompensait généreusement. Toutes les semaines elle nous invitait à souper avec elle. Si vous aviez vu comme c'était arrangé ! Dieu de Dieu, quand j'y pense encore ! On ne marchait que sur de beaux tapis, on ne s'asseyait que sur des sofas de crin, on ne voyait qu'argenterie et dorure. Et comme j'en ai mangé des sucreries ! des friandises ! C'étaient des pains de Savoie par ici, des gâteaux par là, et puis des pâtisseries, des bonbons de toute espèce ; tenez, Helmina, à force d'en manger, j'en étais dégoûtée, vrai comme j'vous dis. Et puis ensuite des présents, comme j'en ai eu de Mme La Troupe ! C'étaient de belles robes, de beaux chapeaux, allons, jusqu'aux parasols qu'elle me donnait. Comme j'étais fière dans ce temps-là ! Quand j'y pense encore, je vous assure que ça m'tracasse l'esprit, ça m'bouleverse l'imagination.

« Figurez-vous aussi, Helmina, que Mme La Troupe avait une petite fille à peu près de mon âge, belle comme un petit enfant Jésus de cire ; vous devez l'avoir vue lorsque vous êtes entrée chez sa mère ?

— Non, Julienne, probablement qu'elle était couchée.

— Oh ! c'est ça. La pauvre petite Élise, elle doit trouver du changement de coucher aujourd'hui dans un mauvais lit, elle qui ne couchait autrefois que dans la soie et sur la plume ! Qui aurait dit ça pourtant ? C'était la meilleure enfant que l'on puisse voir : complaisante, généreuse, toujours gaie, et surtout polie et pas fière du tout, qualités qui sont pas mal rares chez nos demoiselles d'aujourd'hui, hein, Helmina ? Combien de ces prétendues filles de gros messieurs auraient à sa place dédaigné de jouer avec une pauvre petite paysanne comme moi ! Combien se seraient crues déshonorées en me saluant même ! Et cependant de toutes ces demoiselles que je vois aujourd'hui, je vous assure, Helmina, que pas une n'était mieux habillée ni mieux élevée qu'elle, pas une n'était plus considérée, plus vantée. C'était riche, voyez-vous ; quand on a de l'argent, on a tout avec aux yeux du monde. Mais, par exemple, Élise avait plus d'esprit, plus de jugement que toutes ces demoiselles orgueilleuses qui n'ont quelquefois d'autre mérite que celui de la fortune, d'une fortune ordinairement mal acquise, aux dépens des pauvres.

« Elle m'aimait tant, elle me caressait tant que j'en étais parfois tout honteuse ; nous étions toujours ensemble ; tenez, pour bien dire, nous étions comme les deux doigts de la main, vrai, comme j'vous l'dis ; aussi toutes les petites filles du voisinage en étaient devenues jalouses ; chaque fois qu'elles me rencontraient, elles me disaient : “T'es ben heureuse, la Julienne ; j'voudrais ben être à ta place, la Julienne”, et mille autres choses pareilles qui me gonflaient et me faisaient apprécier encore plus le bonheur que je goûtais auprès d'Élise.

« Pauvre Élise, dit Julienne en se croisant les mains, oh ! je donnerais bien d'quoi pour la voir à présent ! Comme elle doit être changée ! comme elle doit être triste ! Et sa mère, là… là… qui mène une vie aussi misérable, comme ça doit lui faire de la peine, elle qui est si scrupuleuse, si sage ! Mais tenez, vous voyez bien, Helmina, je ne puis croire que Mme La Troupe soit aubergiste, elle qui était si vertueuse ! Pourtant, ajouta Julienne avec résignation, quand on tombe de si haut, ça donne du désespoir, et puis on ne sait pas où se jeter ! Pas vrai, Helmina ?

— Oui, Julienne, oui, vous avez raison ; mais continuez.

— Il y avait deux ans que nous vivions ainsi, reprit Julienne, lorsque M. La Troupe tomba malade. J'ai entendu dire à ma mère que c'était d'avoir trop travaillé.

« Je le crois bien ; c'était un homme aussi que ce M. La Troupe ; ça n'arrêtait pas plus que l'eau de la rivière. Vous pouvez penser s'il était soigné un peu ! Bonne sainte Anne du bon Dieu, quand j'y pense encore ! Tenez, il avait six médecins à ses trousses, vrai comme j'vous l'dis ; et puis dans la maison c'était comme une vraie apothicairerie, des bouteilles de toutes sortes, des instruments de toutes espèces, des clercs de toutes façons ; malgré tout ce brouhaha auquel personne ne comprenait rien, il a fallu partir ; car voyez-vous, contre la volonté du bon Dieu il n'y a rien à faire.

« Vous pouvez vous imaginer quel coup sa mort porta à sa famille et à la nôtre, et par tout le canton. Sainte Vierge, quand j'y pense encore ! Si vous aviez vu Mme La Troupe s'arracher les cheveux, jeter les hauts cris sur le corps de son mari en le baignant de ses larmes ; si vous aviez vu la petite Élise qui appelait son père ; si vous aviez entendu tous les domestiques et les pauvres pleurer et gémir, tout le monde regretter M. La Troupe ; il y avait d'quoi fendre un rocher en deux, vrai comme j'vous l'dis. Vous devez voir par là l'estime et l'amitié que tout le monde avait pour lui, et je vous assure qu'il le méritait. Tout le monde a perdu dans la mort de M. La Troupe : les pauvres et les riches, mais surtout nous et plus encore sa pauvre épouse et sa chère petite fille.

« Vous pensez bien que Mme La Troupe ne pouvait pas conduire les affaires multipliées auxquelles elle se trouvait abandonnée ; et c'est ce qui a causé le plus grand de ses malheurs. Elle avait un frère qui demeurait à deux cents lieues : ne voulant pas confier sa fortune entre des mains étrangères, elle en chargea son frère et lui donna le pouvoir de tout conduire à son gré. Mais ce frère ingrat abusa des bontés de Mme La Troupe. C'était d'ailleurs un débauché, un dépenseur, un fripon qui ne passait son temps et ne dépensait son argent qu'en libertinage et qu'au jeu. Vous pouvez penser s'il éparpilla l'argent ; aussi ça ne pouvait pas durer longtemps. Mme La Troupe, qui était bonne comme la vie, se contentait de lui faire des remontrances sans penser à lui retirer le pouvoir qu'elle lui avait donné. C'est ce qui l'a perdue, la pauvre femme.

« Son frère fit des dettes à force, il fallut payer, et quand on n'eut plus d'argent, on vendit les terres d'abord, et mon père, ainsi que beaucoup d'autres, se vit réduit à mendier son pain. On se défit ensuite des voitures, des maisons, des meubles, enfin du magasin ; tout fut dévoré par la cupidité des créanciers, tout fut mangé par les gens de cour, qui ne sont guère scrupuleux lorsqu'il s'agit d'emplir leur bourse.

« Voilà donc Mme La Troupe dans la rue, sans aucune ressource, et cela s'est fait, ma chère Helmina, dans l'espace de deux mois environ.

« Enfin, vous le dirais-je ? Mme La Troupe et sa fille vécurent pendant un an du secours des autres, non pas de celui des riches, ils furent impitoyables aussitôt qu'ils virent qu'ils n'avaient plus rien à espérer, c'est l'ordinaire ; mais aux dépens des pauvres !

« Quant à nous, Helmina, épargnez-moi de vous faire le tableau de la misère que nous eûmes ; qu'il me suffise de vous dire que ma pauvre mère en est morte… »

Julienne ne put continuer ; les sanglots lui coupèrent la parole ; la sensible Helmina pleura avec elle et après avoir donné un libre cours à leurs larmes :

— Pauvre Julienne, telle est la différence de notre douleur, vous pleurez pour les morts, et moi je pleure pour les vivants, pour les absents !

— Et moi donc, dit Julienne, n'ai-je pas mon pauvre père que je n'ai point vu depuis trois mois ?

— Comment avez-vous été séparée de lui ? Continuez, Julienne, je vous en prie.

— Le reste n'est pas long, Helmina ; trois mois après la mort de ma mère, mon père fit connaissance avec le vôtre, je ne sais comment ; ils devinrent tellement amis qu'ils ne se laissaient plus. Un jour, mon père était absent, Maître Jacques vint chez nous et, me prenant à part :

— Julienne, me dit-il, votre père n'a plus rien à gagner ici ; il m'a témoigné le désir de laisser pour un temps le Canada, en me demandant d'avoir soin de vous pendant son absence ; je suis à mon aise, je le lui ai promis avec plaisir ; je vais vous mettre en pension à la campagne chez une bonne femme où vous n'aurez rien à faire qu'à vous promener et à vous amuser avec ma petite fille, qui y est déjà.

« Quinze jours après, mon père partit en me promettant de revenir au plus vite. Voilà mon histoire, Helmina ; je ne pouvais parler de Mme La Troupe sans vous la conter. Avant de venir ici, je fus lui dire adieu ; Élise ne pouvait se séparer de moi. Elles étaient toutes deux dans la plus profonde misère ; je suppose que Mme La Troupe, se voyant abandonnée, aura choisi la vie d'aubergiste pour dernière ressource.

— Combien y a-t-il à présent, dit Helmina, que Mme La Troupe a perdu son mari ?

— Attendez donc ; il y a environ un an… oui, il y a bien un an et demi ; mais, dites-moi, Helmina, est-elle comme il faut ?

— Elle n'a conservé, ma chère Julienne, qu'un peu de politesse ; cependant, malgré son air d'affectation, on peut affirmer qu'elle n'est pas à la place que Dieu lui a destinée ; on voit qu'elle n'est pas née dans la dégradation où elle est.

— Quoi, est-elle rendue à un tel point de ?…

—Elle est descendue au dernier échelon de la société ; l'auberge qu'elle tient paraît, par sa malpropreté, son délabrement, le rendez-vous de tous les misérables. Enfin, Julienne, je puis vous le dire sans exagérer, je suis persuadée que la malheureuse s'est livrée à la boisson.

— Cela n'est que trop possible, Helmina, dit Julienne, Mme La Troupe ayant de mauvais exemples sous les yeux ; pourvu au moins qu'elle n'entraîne pas sa malheureuse petite fille !

— Dieu ne permettra pas qu'un ange de vertu comme Élise succombe. Pauvre Élise !

— Vous m'avez dit, Helmina, que votre père connaît parfaitement Mme La Troupe, et qu'il ne vous refuse rien : voulez-vous vous joindre à moi pour le prier de laisser Élise venir demeurer avec nous ?

— Ma chère Julienne, dit Helmina touchée du bon cœur de son amie, comme vous me touchez ! comme vous m'intéressez ! J'attendais que vous me fissiez cette demande pour la faire ensuite moi-même à mon père. Oui, Julienne, nous lui demanderons ; oui, ce seront nos premières paroles à son retour. Pauvre Élise, oui, elle viendra avec nous ; nous partagerons ses peines, elle partagera les nôtres.

— Merci, ma bonne Helmina, dit Julienne en se jetant dans ses bras, et en la serrant contre son cœur, merci, merci ! Pauvre Élise, comme elle va être contente !

— Mais, Helmina, ajouta Julienne après quelques instants donnés à sa joie, si vous n'étiez pas fatiguée et si vous ne vous endormiez pas trop, j'aimerais à entendre raconter votre histoire. Mais non, tenez, ça n'aurait qu'à vous rendre malade encore, je me reprocherais cela toute ma vie.

— Ne craignez rien, Julienne : d'ailleurs, mon histoire n'est pas longue, et ne retardera pas longtemps votre repos.

« Il est d'usage, lorsqu'on raconte sa vie, de commencer par parler de ses parents ; malheureusement, ma chère Julienne, je ne puis rien vous dire d'eux ; je n'ai jamais connu ma mère, elle mourut en me donnant le jour ; quant à mon père, vous le connaissez comme moi ; vous savez qu'il s'appelle Jacques, voilà tout ce que je sais moi-même. Que fait-il, où agit-il, quelle est sa vie ? Je l'ignore. Est-il d'une bonne famille, est-il riche, est-il respecté ? Je l'ignore encore. Pourquoi sa conduite est-elle aussi mystérieuse ? J'ignore tout enfin, ma chère amie.

« Depuis que j'ai l'âge de connaissance, jamais mon père n'a passé deux jours de suite avec moi ; jamais je n'ai pu lui arracher le moindre aveu sur la nature de ses affaires. N'est-il pas désolant pour une jeune fille comme moi de vivre inconnue, loin de tout le monde ? N'est-il pas pénible pour moi d'être dans la triste nécessité de ne vivre qu'avec des étrangers, de ne pas dépasser la borne de cette campagne, sans être épiée dans toutes mes démarches, dans mes regards même par un père qui ne me perd pas de vue ?

« Oh ! Julienne, si vous saviez comme je souffre lorsque, dans les promenades que je fais avec mon père, je rencontre des jeunes filles qui se promènent seules dans la ville, vont où elles veulent, parlent à qui elles veulent, rient, s'amusent avec de jeunes messieurs ; si vous saviez comme je souffre, Julienne ! Je me dis en moi-même : ces demoiselles ne manquent de rien, elles voient tout ce qu'il y a de plus curieux et de plus beau, elles sortent quand elles veulent. Pourquoi n'en ferais-je pas autant, pourquoi ne serais-je pas aussi heureuse qu'elles ? J'aime tant le monde, moi, Julienne ; j'aime tant le plaisir !

— Où étiez-vous avant ? demanda Julienne.

— En pension chez une bonne femme qui m'a élevée ; oh ! je l'aimais bien ! Elle est morte un mois après que je l'ai eu laissée.

— A-t-elle laissé des enfants ?

— Un garçon seulement ; je ne sais ce qu'il est devenu. »

Ici minuit sonna à la vieille horloge.

— Déjà minuit ! Julienne, dit Helmina. Dieu ! comme le temps passe vite ! Couchons-nous, Julienne, tout le monde dort ici ; si Madelon nous entendait encore, elle nous gronderait. Bonne nuit, Julienne !

V

LES BRIGANDS DU CAP-ROUGE

Le Cap-Rouge, à l'époque où notre histoire se passe, était un lieu maudit et redouté de tout Québec ; c'était, suivant l'opinion d'un grand nombre, une forêt enchantée qui enfantait les brigands, et les rejetait ensuite sur la cité pour exercer leurs ravages et leurs rapines ; c'était là que le démon tenait conseil, qu'il méditait le crime, marquait ses victimes. C'était l'épouvantail dont se servait la superstition pour inspirer l'amour de la vertu et l'horreur du vice.

Tous les soirs, disaient les vieillards, on voyait tout autour du bois des feux souterrains qui s'échappaient du sein de la terre, des fantômes qui se répandaient dans les champs, et s'exerçaient au vol, au meurtre ! Tantôt c'étaient des cadavres que l'on voyait suspendus à tous les arbres et qui semblaient gémir et maudire leurs meurtriers ; tantôt c'étaient des spectres qui prenaient toutes sortes de formes, des bêtes féroces qui s'entre-déchiraient ; et puis on entendait des hurlements, des pleurs, des sanglots, des jurements continuels : tel était le tableau que les bonnes femmes inventaient dans leurs superstitions, en parlant du Cap-Rouge.

Cependant nous dirons que le Cap-Rouge avait une réputation si horrible et si effrayante que personne n'aurait osé, sans se faire taxer de folie et d'imprudence, le traverser dans la nuit.

Ce soir-là, le Cap-Rouge était paisible, mais c'était un silence effrayant : on apercevait à travers les branches une petite fumée noire mêlée d'étincelles et qui sortait d'un tuyau placé sur une espèce de hutte sauvage à moitié creusée dans le roc et recouverte d'arbres secs et de feuillage jauni, qui laissait échapper de l'intérieur une lueur pâle et sombre. Trois hommes, fumant dans de longues pipes allemandes, étaient nonchalamment assis sur des bancs de mousse, autour d'une vieille et large souche qui leur servait de table.

Tout autour de ce repaire étaient suspendus des sabres, des échelles, des cordes, des fusils, des pistolets, des couteaux, des crampons de fer et de gros paquets de clefs, le tout dans le meilleur ordre possible.

Nos brigands se regardaient de temps en temps sans rien dire et semblaient méditer quelque nouveau forfait.

Après une demi-heure de ce silence, celui qui paraissait avoir le plus d'autorité se leva tout à coup et, après avoir regardé par une ouverture pratiquée sur le côté de la cabane, regagna son siège en fredonnant une vieille chanson de nautonier.

— Diable, Lampsac, vous chantez comme un oiseau aujourd'hui, dit Mouflard qui venait de laisser sa pipe et paraissait assez disposé à entrer en conversation.

— Oui, Mouflard, et pourtant que l'… si j'ai envie de chanter.

— Ouache ! encore quelque fantaisie, je suppose ; vous êtes drôlement capricieux, Lampsac, soit dit entre nous ; hein, Bouleau ?

Ceci s'adressait à notre troisième personnage, qui était entièrement couché sur son banc et poussait de temps en temps de longs bâillements.

— C'est vrai, Mouflard ; mais au fait, vous autres, dit Bouleau en se mettant sur son séant, ne trouvez-vous pas que le père Munro est un peu longtemps ?

— Pas mal, en effet, dit Mouflard. Qui sait ? le vieux aurait peut-être été assez bête pour se faire empoigner.

— Paix ! s'écria Lampsac en appliquant sur la souche un vigoureux coup de poing ; respect au père, imbécile que tu es ; il y a bien assez du gros Jignac qui a manqué de se laisser accrocher. Oh ! à propos de Jignac, savez-vous qu'il s'est fait attraper à mon goût ?

Lampsac se mit à rire à gorge déployée.

— Le gros Jignac attrapé ! dit Mouflard en l'imitant ; ah ben ! ça doit être diablement embêtant ; ah ! oui, ça doit être une curieuse farce. Contez-nous ça, Lampsac ; sur mon âme, ça doit être drôle, hein, Bouleau ?... Mais quand on pense qu'il dort ; que l'gros Charlot m'extermine, c't'animal-là dormirait dans l'enfer. Mais voyons donc, Lampsac, contez-nous ça ; je donnerais la bague de ma petite Julie pour connaître c't'histoire-là.

Et Mouflard s'approcha de Lampsac.

— Non, non ; Jignac te la contera lui-même ; tiens, quand il la conte, il peut faire vingt pleureurs ; cré gros Jignac, va ! ah !... ah !... ah !...

Lampsac et Mouflard poussèrent un tel éclat de rire que Bouleau s'éveilla en sursaut en criant avec colère :

— Qu'y a-t-il donc ? Queu vacarme menez-vous, bande de bêtas qu'vous êtes ? S'il y a à dormir, je veux bien que l'enfer m'étrangle ! Mais chut, entendez-vous du bruit, vous autres ?

Bouleau appliqua son doigt sur son oreille et Lampsac se jeta par terre et colla la sienne sur le seuil de la caverne.

— Tu rêves, Bouleau : tu dors encore, fainéant.

— Allez au diable, j'vous dis que j'entends des pas, moi ; mais je parierais ben tout Québec, s'il m'appartenait, que ce n'est pas l'allure du père Munro ; il va plus pesamment qu'ça, lui, l'vieux. C'est un espion, mille gueux, c'est un espion. Sortons, Lampsac, sortons.

— Ah bien ! oui, ça s'rait assez drôle d'aller bouler la vase pour te faire plaisir, dit Mouflard en riant. J't'dis qu'tu dors, Bouleau. Entendez-vous, Lampsac ?

— Pas plus que sur la main.

— Ni moi non plus.

— Eh bien ! j'vous dis que j'ai entendu moi ; tenez, écoutez.

Malheureusement pour Bouleau, pas le moindre bruit ne se fit entendre.

— Eh bien ! où est-il donc ton espion ? dit malicieusement Mouflard.

Bouleau lui lança un regard de rage et d'indignation ; il venait d'éprouver pour son honneur un fâcheux échec : il passait parmi ses compagnons pour avoir l'oreille d'une délicatesse infaillible, et c'était la première fois qu'il était en défaut ; aussi n'était-il pas encore parfaitement convaincu qu'il s'était trompé ; il déguisa donc sa colère en espérant que le temps viendrait corroborer ses soupçons : cette fois, malgré son peu de courage, il souhaita l'arrivée du « watchman » pour rétablir son honneur.

D'après ce que nous venons de dire, on s'imaginera avec quelle joie et quelle frayeur en même temps Bouleau entendit quelques moments après des coups précipités à la porte ; il regarda Lampsac et Mouflard d'un œil triomphateur qui semblait leur dire : Eh bien ! êtes-vous convaincus à présent ?

— Aux armes ! dit Lampsac à demi voix, massacre sur tout le monde ! Puis s'approchant de la porte, il cria de sa grosse voix enrouée : Qui va là ?

— C'est moi, pendards que vous êtes, répondit au-dehors une petite voix grêle et coupée.

Lampsac reconnut cette voix, car il s'empressa d'ouvrir une petite porte épaisse qui roula sur ses gonds rouillés et laissa entrer un homme de moyenne taille, armé d'un poignard et portant un chapeau de paille à bords relevés, un gilet de drap bleu, des pantalons de futaine grise. Malgré ce déguisement, les brigands n'eurent pas de peine à reconnaître leur grand chef ; ils portèrent la main à leur bonnet et lui firent un salut moitié civil, moitié militaire.

Cet homme était maître Jacques, que nos lecteurs ont déjà rencontré à l'auberge du faubourg Saint-Louis.

En entrant, maître Jacques jeta autour de l'antre un regard scrutateur, puis se laissa tomber sur une vieille chaise bourrée qui lui était destinée et, après avoir ôté son gilet, il tira de sa poche une liasse de vieux papiers qu'il se mit à feuilleter avec attention.

Après cet examen silencieux qui dura un bon quart d'heure, maître Jacques se leva et, après avoir fait trois ou quatre tours dans la caverne :

— Eh bien ! enfants du diable, dit-il en s'adressant aux brigands, comment va la besogne à présent ? Où est le père Munro ?

— Il est parti depuis ce matin, dit Lampsac en s'inclinant respectueusement.

— Qu'avez-vous fait depuis que je vous ai vus ?

— Pas grand-chose ; nous sommes guettés de tous côtés ; aussi bien, dans le moment que je vous parle, Sichlou, Jeannot et Labrie s'amusent dans la prison.

— Je sais cela, dit maître Jacques d'un air embarrassé ; gare à vous au moins !

Comme il disait ces mots on frappait de nouveau à la porte, et après le cri ordinaire, le père Munro entra.

— Eh bien ! père Munro, dit maître Jacques en allant au-devant de lui, ça va-t-il ?

— Ça va, ça va, signor, dit le père Munro ; puis l'ayant tiré à part il lui parla quelque temps à l'oreille, après quoi maître Jacques se retira en lançant aux brigands un salut de protection.

— Ha ! ha ! quand j'vous l'disais, qu'j'avais bien entendu, dit Bouleau qui n'avait pas encore oublié son espion ; j'aurais bien gagé…

— Peste de tes gageures, Bouleau, dit le père Munro ; tu n'as qu'ça dans la gueule, sot que tu es ; il s'agit bien de vos différends. Tenez, ajouta-t-il en jetant sur la souche une poignée de pièces d'or que les brigands regardèrent avec une avidité terrible, voilà de quoi mettre sur la piste d'en gagner d'autres. Ah çà ! mes « jars », j'ai une fière affaire à vous proposer.

— Bravo ! bravo ! vive le père ! s'écrièrent les bandits.

— Il s'agit d'abord d'un vol avec effraction chez une personne que nous avons déjà visitée sans profit.

— Ah ! j'comprends, dit Bouleau, chez l'bonhomme Pierre… en effet, ça va être une vieille affaire que de « gifler » c'vieux-là.

— Oui, et un diable de bon coup si nous pouvons faire voler ses piastres, ajouta Mouflard en riant.

— Il faudra l'assommer, le vieux pendard, dit Lampsac, ou que l'tonnerre m'écrase comme une puce.

— Doucement, doucement, poignée de meurtriers, dit le père Munro ; vous y allez rondement vous autres ; attendez un peu, j'ai mes plans.

— Voyons, dit Bouleau avec importance.

— D'abord, dit le père Munro, nous partons d'ici à minuit ; nous nous rendrons tout doucement chez la mère La Troupe ; là nous trouverons la bonne femme Pelouse, le petit Michel, John Mickmac et Louis Ferlampier, à qui j'ai donné rendez-vous.

— Voilà bien du monde pour un vol, dit Bouleau, fâché de ce que, comme à l'ordinaire, on ne l'avait pas consulté.

— Oh ! arrêtez donc, continua le père Munro ; j'oubliais de vous dire le principal : d'abord je me rendrai avant vous à l'auberge : disons vers 7 heures ; je verrai la Pelouse et je lui dirai d'aller faire la malade sur le perron du vieux Pierre ; le bonhomme est avare, mais on le dit assez charitable ; il n'y a pas de doute qu'il fera entrer la bonne femme, et si son mal empire, il la fera mettre au lit ; je sais cela par expérience.

— Bien imaginé, sur mon âme, dit Bouleau avec orgueil ; je n'aurais peut-être pas fait mieux.

— La bonne femme fera semblant de dormir jusqu'à ce que le vieux filou ronfle lui-même de son mieux ; alors elle se lèvera tout doucement, examinera la maison de son mieux et, aussitôt qu'elle entendra sonner deux heures, elle ouvrira un guichet, et nous fera un signal dont je conviendrai avec elle ; et puis, en avant, mes amis !...

—Bien imaginé, père, bien imaginé, répéta Bouleau en frappant des mains ; mais écoutez donc un peu, si la vieille venait à éveiller quelqu'un ?... Vous pouvez penser qu'ils ne dorment pas bien dur depuis l'épouvante que nous leur avons donnée. Ça s'rait une maudite affaire pour nous, oui !

— Ouache, Bouleau, je vous croyais plus expédient qu'ça, dit le père Munro d'un air dédaigneux.

Bouleau grinça les dents de honte et de colère.

— Si la Pelouse éveille quelqu'un, qui l'empêchera de dire qu'elle est malade, qu'elle s'est levée pour quelque cause ? Enfin t'nez, j'connais la vieille, elle est fameuse pour les histoires : elle en fera une qu'ils goberont comme du sucre du pays. Quant à nous, si nous n'entendons pas de signal, notre plus court parti sera de décamper, quitte à recommencer un autre jour et d'une autre manière.

— Bravo, bravo ! s'écrièrent tous ensemble Lampsac, Mouflard et Bouleau....

— Et combien y aura-t-il à gagner dans cette affaire ? demanda Lampsac.

— Bah ! la menue bagatelle d'une couple de mille louis en argent et peut-être autant en effets ; c'est toujours ça d'pris en s'amusant.

— Bravo ! bravo !

— Vous y êtes donc ?

— Nous y sommes.

— À merveille ! Lampsac, du rhum, mille flambes ! du rhum, buvons à notre nouvelle entreprise. Vive, vive maître Jacques, notre bon chef !

Et les brigands répétèrent : Vive maître Jacques, notre bon chef ! et firent de si nombreuses libations qu'ils tombèrent bientôt à la renverse et dormirent aussi profondément que s'ils venaient de faire une bonne action.

Nous profiterons de ce temps pour donner une idée de leurs portraits et de leurs caractères.

Le père Munro avait environ cinquante ans. Ses cheveux blanchis trop tôt par le vice et le libertinage descendaient en longues mèches sur son large front où l'on apercevait les traces de la décrépitude la plus basse, l'empreinte de l'ivrognerie la plus dégoûtante. Sa poitrine creuse et velue faisait continuellement entendre un râle sourd et pulmonaire. Ses traits étaient contractés par une audace effrénée, une cruauté révoltante ; ses grands yeux bleus, quoique à demi fermés, ne portaient que des regards farouches et égarés, ses lèvres blanches laissaient apercevoir en s'entrouvrant des mâchoires nues et serrées l'une contre l'autre par l'habitude d'une férocité brutale ; ses longues mains décharnées et toujours fermées indiquaient des muscles et des nerfs d'acier toujours tendus avec violence.

Après maître Jacques, qui s'occupait et dont la seule charge était de conduire la troupe et de régler les comptes, si nous pouvons nous servir de cette expression, le père Munro était le premier, l'âme de cette société infernale. Rien ne se faisait sans lui. Se présentait-il un coup de maître à faire, une entreprise épineuse et pleine de dangers à mettre à exécution, un meurtre horrible à commettre, un vol combiné à exécuter, le père Munro était toujours le premier à l'œuvre. Il avait vieilli dans le crime ; personne plus que lui n'en connaissait les dangers, les hasards, les différentes phases.

Le père Munro avait tout éprouvé : la prison, la marque, le pilori, le fouet étaient pour lui des punitions familières ; enfin il avait évité trois fois le gibet en se sauvant de son cachot.

D'après ce qui précède, on doit penser que le père Munro jouissait auprès de ses semblables d'une réputation à toute épreuve. On sait que, dans une armée, un général qui est couvert de blessures, qui a affronté tous les hasards et les dangers, qui a bravé la mort et lui a échappé souvent, est élevé jusqu'aux nues par tous ses inférieurs ; que plus il est brave, plus sa réputation est brillante : il en est de même avec les brigands ; avec eux aussi, plus on est scélérat, plus on est estimé.

Passons à Lampsac.

Lampsac est le bras droit du père Munro. Il est comme lui, hardi, féroce, entreprenant, actif, et lorsqu'il sera à son âge, il aura acquis la même renommée. Lampsac n'a que trente ans.

Il est d'une grandeur athlétique, d'une force démesurée, d'une agilité peu commune. Il n'a pas une figure tout à fait désagréable ; différent du père Munro, il ne porte pas sa férocité sur sa figure ; au contraire ses yeux bleus expriment un air de mélancolie et de bonté ; il sourit avec assez de grâce, mais il s'exprime avec rudesse, le son de sa voix est rauque et enroué ; sa démarche est pleine de noblesse et d'aisance.

Bouleau a bien la mine la plus insignifiante qu'il soit possible d'imaginer : un front bas et plat, couvert de cheveux crêpés qui lui descendent jusque sur le nez, de gros yeux gris, morts dans leurs orbites, un gros nez épaté sur lequel on peut faire tenir un verre plein, une bouche fendue d'une manière démesurée et encadrée dans des lèvres épaisses et rougies par le rhum ; des joues enflées et couvertes de favoris roux et hérissés, un air béat et imbécile, un sourire niais et forcé, une démarche nonchalante, des manières gênées : voilà Bouleau quant au physique.

Cependant Bouleau est l'homme de cabinet de la société ; c'est lui qui, ordinairement, trame et prépare les entreprises ; c'est l'homme de consultation par excellence : on ne fait rien sans demander l'opinion de Bouleau ; on ne fait rien sans qu'il ait donné son approbation. Pourquoi cela ? Parce que Bouleau est un homme de tête rare, un homme d'un jugement sain, d'un esprit juste et solide, d'une conception vaste ; parce qu'il n'a jamais failli dans ses décisions ; parce que ses conseils ont toujours porté fruit.

Mouflard n'est encore qu'un apprenti, mais un apprenti qui a du talent pour le métier, comme dit le père Munro. « Ce mufle-là, dit-il souvent en s'adressant aux autres, vous montera bientôt sur le dos, mes enfants. » Il n'en faut pas plus pour encourager notre jeune scélérat. Mouflard a quinze ans ; il est court et trapu et assez mal proportionné. Il a une figure des plus expressives, un esprit vif et bouillant, un caractère moqueur et satirique ; c'est l'enfant gâté du père Munro.

Mouflard a commencé son apprentissage sur les marchés : c'est là que le père Munro l'a pris, au milieu d'une troupe d'enfants dénaturés et fainéants qui y croupissent tous les jours dans l'inaction et la misère, et qui finiront par avoir le même sort. N'est-il pas désolant de rencontrer tous les jours des petits garçons avec des paniers ou des chiens, tout couverts de haillons, jurant, insultant tout le monde et passant des journées entières à courir les rues pour un misérable douze sous, tout au plus ? N'est-il pas honteux d'y voir même des hommes, jusqu'à des vieillards, partageant cette infâme paresse, étendus, couchés dans les auberges, à moitié ivres, et donnant ainsi le plus terrible exemple aux enfants ? Et ces hommes ont des femmes, des enfants qui languissent dans la misère, qui pleurent, qui leur demandent du pain ! Et ces enfants ont des parents, mais des parents, nous le dirons sans hésiter, des parents trop lâches, trop criminels pour les arrêter, trop insouciants pour les élever, et souvent eux-mêmes trop misérables pour leur inspirer la vertu. Qu'arrive-t-il ? Ces enfants, laissés à leur volonté, commencent par sauter la première barrière qui les sépare du vice ; ils en sautent une seconde, une troisième ; font le premier pas dans le chemin du crime qui leur paraît semé de roses, finissent par le parcourir jusqu'au bout, et meurent sur l'échafaud en maudissant leurs parents !

Et ceci se passe au sein, sous les yeux de la population la plus respectable et la plus religieuse ! dans une ville où l'on se vante de faire un grand nombre d'améliorations ; dans une ville où la loi et la justice n'épargnent rien, dit-on, pour conserver les bonnes mœurs et les faire fleurir !

Nous ne ferons plus qu'une seule réflexion, trop heureux si elle peut être goûtée.

Si la loi met tant de soins, tant d'empressement à dévoiler et à punir le crime, que n'en met-elle donc autant à le prévenir et à l'empêcher ? La chose en serait, selon nous, plus noble et plus méritoire…

VI

UNE RENCONTRE INATTENDUE

On n'a pas oublié que Stéphane et Émile étaient convenus d'aller ensemble chez Mme La Troupe, l'hôtesse de l'auberge du faubourg Saint-Louis. Huit jours s'étaient écoulés depuis, et Stéphane, malgré son impatience, n'avait pu encore mettre son projet à exécution.

Stéphane avait changé de moitié ; ses parents concevaient pour lui les plus tristes inquiétudes. Ce n'était plus en effet ce jeune homme droit et éclairé, plein de gaieté et d'énergie ; ce jeune homme aimable, aux yeux vifs et brillants, au teint de rose, aux cheveux bouclés, aux manières élégantes, au sourire joyeux, que nous avons rencontré à l'auberge de Mme La Troupe : Stéphane marchait aujourd'hui les yeux baissés, courbé sous le poids de sa douleur ; ses yeux s'étaient remplis d'une rare mélancolie ; ses joues étaient pâles et creuses ; on ne voyait plus dans son maintien, dans ses habits, cette recherche minutieuse qui l'avait toujours caractérisé, mais un désordre complet, marque de l'insouciance ou du malheur. Telles avaient été les suites d'un amour brûlant et sans frein.

Il était huit heures du soir ; cette fois Stéphane résolut à tout prix de satisfaire sa curiosité ; il court chez Émile, lui rappelle sa promesse. Ils partent tous deux pour se rendre chez Mme La Troupe.

En passant sous la porte Saint-Louis, ils ne purent résister à une frayeur involontaire en traversant un endroit qui avait été si souvent marqué par le sang des victimes du brigand. Craignant d'être surpris, ils tenaient continuellement la détente de leurs pistolets, prêts à la lâcher sur le premier agresseur, lorsqu'ils aperçurent tout à coup la faible lueur d'une lanterne sourde et entendirent en même temps les pas d'un homme qui marchait pesamment devant eux et faisait jaillir de tout côté la boue qu'il foulait à ses pieds.

Probablement que l'inconnu les entendit de son côté, car il s'arrêta tout court comme pour les attendre.

— Avançons, Stéphane, dit Émile, du diable ! nous sommes deux et bien armés, avançons.

Et il se mit à siffler et à augmenter le pas, sans doute pour faire voir qu'ils ne craignaient nullement.

— Que voulez-vous, mon brave ? dit Stéphane en approchant.

— Rien ; je vous attendais seulement pour avoir d'la compagnie ; car le diable m'étouffe si je suis hardi par ici. De plus j'aimerais à savoir de vous où est l'auberge du faubourg Saint-Louis.

Encouragés par le ton de bonhomie qu'il avait pris, Stéphane et Émile ne se défièrent plus de lui.

— Nous y allons justement, dit Émile, si vous voulez faire route avec nous, vous êtes le bienvenu.

— Merci ben, j'vous paierai un coup en arrivant, dit l'homme au fanal.

Neuf heures sonnaient à la pendule de l'auberge lorsqu'ils y arrivèrent.

Mme La Troupe était à demi couchée sur une espèce de bergère bourrée en paille, placée en dedans du comptoir, lorsqu'elle entendit ouvrir la porte, et aperçut en même temps Stéphane et Émile, suivis d'un troisième personnage qu'elle n'avait encore jamais vu.

— Tiens, tiens, dit-elle avec assez de familiarité et en allant au-devant d'eux, voyez donc, je commençais à m'assoupir. Bonjour, messieurs ; comment vous portez-vous, messieurs ?

Puis elle salua l'étranger du revers de sa main et ouvrit la porte du salon.

Stéphane et Émile n'avaient pas encore eu le temps d'examiner quelle connaissance ils venaient de faire ; ils furent frappés de l'air d'hypocrisie et d'audace peint sur sa figure : c'était Maurice, l'époux de Madelon.

Maurice était un homme entre les deux âges, grand, robuste et bien fait ; affublé d'une paire de favoris qui lui couvraient la moitié de la figure, il portait une vieille redingote d'ancienne mode, beaucoup trop longue et trop large pour lui, et par-dessous, un petit gilet de mérinos bleu ; un chapeau de paille, recouvert d'une toile cirée jaune dont les larges bords lui descendaient jusque sur les épaules ; des pantalons de bouracan gris, une chemise de laine rouge fermée avec des boutons jaunes, et de longues bottes sauvages toutes couvertes de boue.

— Allons, mes amis, dit Maurice en s'approchant de la table et avec autant de familiarité que s'il se fût adressé à des gens de son espèce, je vous ai promis un p'tit coup, que prenez-vous ? Vite, dépêchez-vous, je suis pressé.

— Merci, nous ne prenons rien à présent, dit Stéphane, qui ne voulait pas faire honneur à une offre aussi obligeante.

— C'est comme vous voudrez, dit Maurice ; pas d'gêne, sans cérémonie ; t'nez, faut qu'ça aille rondement, sans étiquette, vrai comme v'là une chandelle… Holà ! mère La Troupe, un verre de gin pour moi seulement, puisque ces messieurs ne veulent rien prendre ; du gin chaud, ça me r'mettra un peu.

— Vous paraissez fatigué, mon ami, dit Émile.

— Fatigué comme le diable quand il a fait sa ronde ; voyez-vous, quand on travaille comme moi en bon ch'val toute la journée, on n'est pas ben aise d'aller placoter la vase pour aller chercher des remèdes.

— On n'en a que plus de mérite, dit Stéphane.

— Oui-da ! beau mérite ! j'm'en passerais tout aussi ben, j'vous assure. Allons, à votre santé, dit Maurice en avalant son verre avec une facilité et une habileté qui prouvaient assez qu'il en avait l'habitude. Voilà du bon gin, sur mon âme, ajouta-t-il en pressant l'une contre l'autre ses grosses lèvres violettes ; vous aurez ma pratique, la bonne femme : et puis, une fameuse, allez !

Mme La Troupe sourit dédaigneusement, comme si elle eût voulu faire voir qu'elle n'était pas accoutumée à hanter de pareilles gens.

— Oh ! à propos, la mère, j'aurais une petite proposition à vous faire, dit Maurice ; vous connaissez maître Jacques ?

Stéphane prêta l'oreille avec précaution.

— Je le connais, oui, comme une de mes pratiques, dit Mme La Troupe d'un air embarrassé.

— Et vous connaissez aussi sa fille ?

— Pour l'avoir vue une fois ici ; ces messieurs étaient justement présents.

Stéphane rougit visiblement.

— Oui-da, dit Maurice en les examinant effrontément, voilà qui s'explique sans que je m'y attendais. Mais il ne s'agit pas d'ça : vous avez une petite fille, Mme La Troupe ?

— Oui ; mais à quoi voulez-vous en venir, s'il vous plaît ? Voilà des messieurs qui ont peut-être affaire à moi et qui s'ennuient probablement d'une conversation qui les intéresse peu.

— Que cela ne vous arrête pas, madame, dit Stéphane, qui était loin de trouver le temps long. Continuez, l'ami, nous allons nous entretenir de notre côté.

Et Stéphane et Émile commencèrent à demi-voix une conversation assez peu animée pour leur permettre d'entendre tout ce que Maurice et Mme La Troupe allaient se dire, mais en même temps assez bien feinte pour ôter toute espèce de méfiance dans leur esprit.

— Je viens ici, dit Maurice, de la part de maître Jacques, pour vous demander si vous permettriez à votre petite fille de venir demeurer chez moi avec Helmina et une autre p'tite jeunesse que vous avez ben connue.

— Oui ? qui est-elle ?

— Eh ! mon Dieu, la petite Julienne, la fille à Julien, qui, à c'que m'a dit maître Jacques, a travaillé longtemps pour votre défunt mari.

Mme La Troupe ne put s'empêcher de tressaillir ; ce nom lui rappelait des souvenirs pénibles, rendus plus terribles par l'horreur de sa situation actuelle.

— Oui, dit Mme La Troupe, en maîtrisant aussi vite que possible son émotion, je l'ai bien connue en effet ; mais, pour en revenir à votre demande, je vous assure qu'il m'en coûtera beaucoup de laisser aller ma petite fille ; d'ailleurs, voyez-vous, elle me sert beaucoup ici, je n'ai qu'elle ; au reste j'y penserai de nouveau et je donnerai ma réponse à maître Jacques lui-même.

— C'est bon, c'est bon.

— Et comment va-t-elle, la petite Helmina ?

— Pas trop ben, j'vous assure ; c'est justement pour elle que je viens chercher des remèdes ; et puis, entre nous, je vous dirai qu'elle est bêtement amoureuse.

— Et de qui donc ?

— Dame, de qui donc ? Il faut qu'ça soit d'un de ces deux mufles-là, car elle a dit à ma femme qu'elle avait rencontré son bijou ici, et vous venez de me dire qu'ils y étaient lorsqu'elle est venue.

— Voilà du farceur, dit Mme La Troupe.

— Vous sentez ben, madame, qu'il est de mon devoir d'avertir son père.

— Vous feriez bien certainement.

— Et cependant j'vous assure qu'ça me coûte furieusement : c'est une si bonne enfant, et son père est si curieux ; croirez-vous qu'il ne veut pas entendre parler de mariage du tout pour sa fille ? Et, entre nous, Mme La Troupe, dit Maurice en s'approchant de l'oreille de l'hôtesse, j'vous avoue qu'il a d'bonnes raisons, allez ! pour dissuader sa fille des épousailles... Mais voyez donc comme j'm'amuse, moi qui devais être de retour chez moi avant minuit. Ainsi donc, ajouta-t-il en sortant du salon, vous penserez à...

— Oui, oui, dit Mme La Troupe en le reconduisant.

— Bon ! je r'viendrai goûter à votre gin ; j'ai d's'affaires à régler sur le marché demain à dix heures, j'entrerai en passant.

Mme La Troupe revint aussitôt trouver Stéphane et Émile.

— Voilà un drôle de personnage, lui dit Stéphane ; connaissez-vous son nom ?

— Pas le moins du monde, c'est la première fois que je le vois.

— Il paraît être en grande connaissance avec maître Jacques et sa fille ?

— Vous l'avez dit ; mais à propos, dit Mme La Troupe avec malice, savez vous qu'elle vous aime, Helmina ?

Stéphane ne fit pas semblant de comprendre et se mit à tousser pour déguiser son émotion, et pour éviter toutes autres paroles sur un sujet qu'il voulait cacher.

— Connaissez-vous maître Jacques, madame ? Que fait-il ?

— C'est plus que je peux dire, sur mon honneur, dit Mme La Troupe en portant la main à son cœur.

Stéphane sourit.

— Il paraît faire beaucoup d'argent, n'est-ce pas ?

— Il n'en manque jamais.

— Ses visites sont-elles fréquentes ici ?

— Passablement.

— Vient-il toujours avec sa fille ?

— Rarement ; il n'est encore venu qu'une seule fois avec elle.

— Ainsi donc, madame, vous n'avez pas la moindre idée, pas la moindre information sur les affaires de maître Jacques ?

— Je n'en connais rien du tout ; mais quel intérêt, s'il vous plaît, monsieur ?...

— Aucun, aucun, dit Stéphane en montrant de l'indifférence, si ce n'est celui de la curiosité. Quelle heure est-il à présent, Mme La Troupe ?

— Il est près de minuit, je crois.

— Minuit ! je ne croyais pas qu'il était si tard. Prenez-vous quelque chose, Émile ? Emportez-nous du vin, madame.

Après avoir vidé une bouteille, Stéphane et Émile quittèrent Mme La Troupe.

— Eh bien, Émile, que pensez-vous de tout cela ?

— Rien de bon, mon cher ami.

— Et que pensez-vous de cette liaison entre maître Jacques et Mme La Troupe ?

— Ma foi, dit Émile en riant, c'est vraiment pire que le mystère de l'Incarnation !

— Cet homme revient demain, si j'ai bien entendu.

— Oui, demain à dix heures, sur le marché.

— Écoutez, Émile : j'ai un projet en tête ; il faut que je sache où il demeure ; demain je le fais suivre par Magloire.

— Et que ferez-vous ensuite ?

— Je vous le dirai dans l'occasion, mon cher ami.

Ici nos deux amis se séparèrent ; Émile descendit la côte de la Congrégation et Stéphane suivit la rue Saint-Louis.

Aussitôt qu'il fut arrivé chez lui, il éveilla, sans faire de bruit, le gros Magloire, qui dormait dans une petite chambre voisine de la sienne, et lui fit signe de le suivre. Comme il était alors de la prudence d'avoir toujours une arme de défense en cas de surprise, Magloire avait déjà saisi sous son oreiller son gros couteau pointu, croyant avoir affaire à quelque voleur.

— Point de bruit, Magloire, lui dit Stéphane, tu n'as rien à craindre ce soir ; et Stéphane lui fit avaler la moitié d'un gobelet de « brandy » pour le préparer en sa faveur. Il était bien persuadé que Magloire n'avait pas besoin de cela pour lui rendre service ; mais il aimait à lui donner cette marque d'encouragement, persuadé que plus un serviteur est bien traité, plus il est attaché à son maître.

— Je te demande pardon, mon cher Magloire ; si je t'éveille à une heure aussi avancée, c'est que j'aurais besoin de te parler ce soir d'une affaire qui m'intéresse beaucoup.

— Ah ben ! v'là qu'est drôle, par exemple, dit Magloire tout honteux d'une pareille excuse, v'là qu'est drôle, comme si vous n'étiez pas le maître de mes actions ; vous savez ben que j'peux veiller toute la nuit pour vous.

— Je le sais mon brave. Il s'agit encore de me rendre service ; Magloire, es-tu disposé ?

— Comme à l'ordinaire, ben entendu ; est-ce que j'ai coutume de vous r'fuser ça ?

— Non ; mais c'est qu'il s'agit d'une « job » un peu difficile.

— Quand elle le s'rait encore vingt fois plus, on fait son possible, et puis si on ne réussit pas, eh ben dame ! c'est pas d'notre faute ; pas vrai, M. Stéphane ?

— Bien vrai, mon cher Magloire, dit Stéphane touché de cette belle réponse ; eh bien ! demain il s'agira de courir les marchés ensemble.

— C'est bon, ça nous promènera, et puis ça nous fera voir des curiosités. C'est-il tout ?

— Arrête, tu n'es qu'au commencement de l'affaire.

À dix heures il devra s'y trouver un homme que j'ai intérêt de connaître ; et, comme personne ne peut m'en donner information, il faudra en prendre par nous-mêmes ; il s'agira donc pour toi, Magloire, de le suivre, sans qu'il s'en aperçoive, partout où il ira.

— Pourvu qu'il n'aille pas trop vite, ça ira.

— Fort bien ; tu comprends ?

— J'suppose. Est-ce tout ?

— C'est tout ; remarque bien l'endroit et la maison où il s'arrêtera.

— Oui, oui.

— Et si toutefois il sortait aussitôt de chez lui (voilà ce qu'il faudrait principalement), tu entreras après lui et tu demanderas si le maître de la maison est présent et à quelle heure on peut le trouver dans la journée. Remarque bien toutes les personnes que tu verras, afin de pouvoir m'en donner une idée. Enfin s'il y a une jeune fille bien jolie et que tu sois assez favorisé par le hasard pour lui remettre une lettre que je te donnerai, sans que personne te remarque, il n'y a rien que je ne te donnerai pour te récompenser. As-tu bien compris ?

— Ah ! oui, comme il faut.

— Et tu consens ?

— C'te demande !

— C'est bien, je te remercie : va te coucher maintenant ; surtout prends bien garde de dire un mot de tout ceci à qui que ce soit.

— Le diable ne me fera pas parler.

— Et tâche de faire cela sans être remarqué.

— Il n'y a pas de danger.

— C'est bon ! bonne nuit, mon brave, à demain.

Et Stéphane fit encore prendre à Magloire un verre de *brandy* qui acheva de la gagner ; il sortit en faisant mille gestes qui le divertirent un peu.

Aussitôt qu'il fut seul, Stéphane se mit en devoir d'écrire la lettre qu'il devait envoyer à Helmina. Il s'appuya longtemps la tête sur son bureau puis, après avoir retaillé vingt fois la même plume et après avoir déchiré au moins dix feuilles de papier doré et fleuri, il en plia une bien soigneusement, y introduisit une boucle de ses cheveux et la plaça dans une petite caisse en fer-blanc qui fermait à double clef. Un quart d'heure après, Stéphane, accablé par les diverses impressions qu'il avait reçues dans le cours de la journée, reposait dans les bras de Morphée.

VII

MAÎTRE JACQUES ET MAURICE

Maurice, après être sorti de l'auberge du faubourg Saint-Louis, venait justement d'emboucher la rue Saint-M… lorsqu'il vit briller à quelque distance une lumière vive et scintillante placée sur le fronton d'une grande maison, dans une lanterne entourée d'une toile blanche et qui portait cette inscription en lettres d'or : « GLOBE HÔTEL ». Il s'avança de plus près et, se levant sur le bout de ses pieds, il aperçut à travers une fenêtre maître Jacques, assis sur une longue bergère de bois, fumant un cigare et lisant une lettre en frissonnant. Il était alors une heure après minuit.

— Voilà, dit Maurice en mettant la main sur la poignée jaune de la porte, une rencontre faite à propos.

Maître Jacques en entendant ouvrir la porte remit précipitamment dans sa poche le papier qu'il tenait à la main et, ayant reconnu Maurice, il passa avec lui dans une petite chambre dont il ferma soigneusement la porte, et fit venir une bouteille de gin.

— Et d'où sors-tu donc à présent, Maurice ?

— De l'auberge du faubourg Saint-Louis, s'il vous plaît ; or çà, M. Jacques, j'ai plusieurs nouvelles à vous apprendre.

— C'est bon ; parle vite et parle plus bas.

— D'abord, dit Maurice avec intérêt, j'ai parlé à madame La Troupe par rapport à sa p'tite fille.

— Et elle consent ?

— Non, pas immédiatement, elle vous donnera la réponse à vous-même.

— Ensuite ?

— Ensuite, vous saurez que votre p'tite fille est malade.

— Malade ? et depuis quand ? non pas en danger au moins ?

— Non ; une indisposition seulement qui l'a prise il y a huit jours à propos de…

Maurice hésita.

— Eh bien ! à propos de quoi ? dit maître Jacques en plissant le front.

— À propos d'un jeune homme qu'elle a rencontré à l'auberge du faubourg Saint-Louis et que je viens de voir là.

— Mille diables ! dit maître Jacques en se levant brusquement et en commençant dans l'appartement une promenade désespérée ; et comment sais-tu cela ?

— Par elle-même.

— Quoi ! elle a eu l'effronterie de vous le déclarer à vous-mêmes ?

— Non pas à nous-mêmes, monsieur, mais elle l'a dit à Julienne, qui nous l'a confié ensuite.

— Voilà une folie de jeune fille qu'elle va payer cher, ou que l'enfer m'engloutisse, dit maître Jacques en frappant avec violence sur la table. Écoute, Maurice, tu sais qu'il est de mon intérêt que ma fille ne fasse aucune liaison qui pourrait nuire à nos affaires ; si malheureusement le jeune homme allait l'aimer de son côté, il n'épargnera rien pour la voir. Qui sait ? la chose ira peut-être plus loin. Helmina est jolie, il la demandera en mariage… et tu comprends le reste… Cependant, ajouta maître Jacques, il faut connaître le merle avant de le dénicher ; dis-moi, Maurice, l'as-tu assez examiné à l'auberge pour le reconnaître partout où tu le rencontreras ?

— Comment donc ? j'ai passé une bonne partie de la nuit avec lui ; nous sommes entrés ensemble chez Mme La Troupe.

— Et d'où sais-tu qu'il est vraiment l'amant de ma fille ?

— Dame ! comme ça, maître Jacques, vous allez voir vous-même : votre fille dit qu'elle a rencontré son oiseau chez Mme La Troupe, et…

— Tu as raison, Maurice, tu as raison, dit maître Jacques en se tordant les mains de rage et de désespoir ; mais au moins, ajouta-t-il, il ignore que ma fille l'aime, n'est-ce pas ?

— Oui, sans doute, qui le lui aurait dit ? J'ai parlé assez bas à Mme La Troupe pour qu'il n'ait rien entendu.

— Comment ! misérable, dit maître Jacques en se laissant tomber sur une chaise, tu l'as dit à Mme La Troupe ! Langue d'enfer ! homme bavard et indiscret qui ne peut rien garder ! Nous sommes perdus, Maurice, lui dit-il en lui lançant des regards foudroyants. Mme La Troupe lui a tout dit sans doute ; quel intérêt aurait-elle à le lui cacher ? Combien au contraire n'en avait-elle pas à le lui apprendre ? Nous sommes perdus pour toujours ! Il est temps d'agir. Il faut le connaître ce jeune homme, il faut le tuer ! Quant à ma fille… ma fille !…

Et maître Jacques resta un moment anéanti ; puis tirant une lettre de sa poche :

— Écoute, Maurice, dit-il avec un sérieux d'enfer, veux-tu me jurer que jamais tu ne dévoileras ce que je vais te dire ?

— Je le jure.

— Eh bien ! sache que Helmina… n'est pas… ma fille !

— Que dites-vous ?

— Lis cette lettre.

Maurice lut ce qui suit :

Londres, sept. 18…

Mon cher ami, — J'ai le plaisir de vous informer que je suis sur le point de me mettre en route pour le Canada, afin d'embrasser la chère petite fille que je vous ai confiée et de l'emmener avec moi. Je vous dirai à mon retour ce qui m'a engagé à prendre une pareille détermination.
À la hâte,

Louis des Lauriers.

— Ce maudit homme que je croyais mort depuis dix ans, dit maître Jacques en se frappant le front. Mille malédictions ! mais que l'enfer me confonde, s'il revoit sa fille ! Maurice, il me faut encore un service.

— Parlez, maître, dit Maurice effrayé du désespoir de maître Jacques.

— Cette nuit, le père Munro et ses brigands doivent voler chez le vieux Pierre ; demain, à pareille heure, il leur faudra enlever Helmina de ta maison.

— Que dites-vous, maître Jacques ? dit Maurice en tremblant.

— Tais-toi, ma résolution est prise ; il ne sera pas dit qu'un rival l'emportera sur maître Jacques ; j'aime Helmina, Maurice, et je l'aurai à tout prix ; je vais lui avouer que je ne suis plus son père, je forgerai une lettre comme venant de la main de son véritable père à son lit de mort, je me jetterai à ses genoux et je lui demanderai sa main.

— Mais vous allez la tuer, M. Jacques.

— Tais-toi encore une fois ; écoute-moi sans rien dire. Demain soir donc, je la fais conduire par mes brigands avec Julienne dans la caverne du roc sans qu'elle sache que nous prenions part à son enlèvement ; j'irai la trouver ensuite, en lui disant que j'ai trompé les gardes ; je lui dirai tout, je la demanderai en mariage en lui promettant sa fortune et son évasion ; si elle accepte, je quitte immédiatement le Canada avec elle.

— Et si elle n'accepte pas ?

— Si elle refuse, continue maître Jacques ; alors elle saura qui je suis, et elle mourra dans la caverne, de chagrin et de douleur.

— Et que direz-vous à son père ?

— Je lui dirai que sa fille a été enlevée ; et s'il se trouve quelqu'un capable de me trahir, ajouta-t-il en lançant un regard diabolique sur Maurice, je le tuerai sans miséricorde.

Maurice vit bien à qui ces dernières paroles s'adressaient ; il s'empressa de faire à maître Jacques les plus horribles serments.

— C'est bien, Maurice, je te connais ; je sais que tu es fidèle et discret.

Maurice se leva pour partir.

— Où vas-tu à présent ? lui demanda maître Jacques.

— Chez moi, maître, il faut que je revienne demain à dix heures.

— N'oublie pas surtout l'affaire de demain soir, et pas un mot de ce que je viens de te dire.

Maurice sortit en renouvelant ses serments.

Après avoir passé les limites de la cité, Maurice, accablé de fatigues et de veilles, se laissa tomber le long d'une clôture et se prit à faire diverses réflexions sur ce qu'il venait d'apprendre. « Qui l'aurait pensé, se dit-il en lui-même, maître Jacques n'est pas le père d'Helmina ! Et pourtant cette lettre… l'impression qu'elle a faite sur lui… il n'y a pas à en douter. Pauvre Helmina ! quand elle va l'apprendre ; quand elle va savoir que son père est mort, qu'elle est maintenant sous la domination d'un homme qui l'aime, et qu'elle ne peut aimer ; comme elle va pleurer lorsqu'il lui faudra, ou épouser un monstre et abandonner un jeune homme aimable, bien fait, qu'elle adore, ou bien mourir sous la domination d'un brigand. Oh ! elle va mourir, c'est certain.

« Non, non ; il ne sera pas dit que Maurice, tout scélérat qu'il soit, ait pris part à un crime aussi infâme, contre une enfant, un ange comme Helmina. Si je me trouve dans l'impossibilité de l'empêcher, du moins je ne veux point y mettre la main.

« Allons Maurice, voilà le jour sur le point de paraître, au diable ta maison d'ici à après-demain soir. Pauvre maison ! comme je vais la trouver vide ! Et Madelon, comme elle va s'ennuyer ! Et Julienne, la pauvre petite, être obligée de partager la douleur d'Helmina, parce qu'elle a su partager son amitié. Non, non, encore une fois, je veux périr à tout jamais si je m'enfourne dans une pareille mêlée. Au diable maître Jacques, qu'il s'arrange comme il voudra. »

Et Maurice reprit le chemin de la ville.

Ces réflexions pourront peut-être paraître déplacées dans la bouche d'un homme aussi dépravé que Maurice ; mais nous ferons remarquer que, quoique adonné depuis longtemps au crime, Maurice n'était pas encore tout à fait endurci. Il conservait encore en lui un reste de pitié, de compassion, surtout pour les malheureux qui n'étaient pas capables de se défendre. Maurice ne s'était jamais distingué dans les actes d'une férocité brutale ; bien loin de là, il était tendre et sensible, jamais il n'avait encore pris part aux crimes des autres brigands. Seulement il savait tout : maître Jacques, sûr de sa discrétion, ne lui cachait rien ; aussi ne pouvait-il comprendre comment il avait pu lui cacher jusqu'à ce jour qu'il n'était pas le père d'Helmina.

VIII

LA JUSTICE COMMENCE

Maurice, en parcourant les carrefours du faubourg Saint-Louis, ne voulut pas se rendre sur le marché sans entrer encore une fois chez Mme La Troupe pour goûter de ce gin excellent qui l'avait tant exalté la veille, et pour se débarrasser un peu de la boue qu'il avait amassée dans ses excursions nocturnes ; et en cela il n'était pas guidé par la propreté, mais bien par la crainte de paraître suspect. Il augmenta donc le pas pour éviter, autant que possible, quelque rencontre désagréable ; et dans un instant il se trouva au coin de la rue de l'auberge. Il fut d'abord surpris de trouver tout fermé, mais pensant ensuite que Mme La Troupe était dans l'habitude de veiller fort tard, il crut qu'elle n'était pas encore levée.

— Hein ! hein ! la mère, t'as fait la galipote, j'cré, hier au soir ; mais faut qu'tu t'lèves, ma vieille.

Et il se mit à frapper rudement à la porte ; le bruit qu'il fit se répandit dans l'intérieur comme un écho lent et sourd, semblable à celui que l'on entend dans un vaste souterrain.

— La vieille sorcière dort comme une souche, dit Maurice après avoir attendu inutilement cinq minutes. Holà ! Mme La Troupe, ouvrez, que diable ! faut-il cogner trois heures encore ? Et il appliqua dans la porte un violent coup de poing qui l'ébranla et la fit craquer horriblement ; puis il y eut encore un silence de deux minutes après lequel Maurice, dont la patience était à bout, fut sur le point d'enfoncer la porte, lorsqu'il se sentit frappé sur l'épaule.

— Mais, l'ami, vous ne savez donc pas ?…

— Et que diable, dit Maurice, comment voulez-vous que je sache ? j'arrive justement de la campagne ; mais qu'est-il donc arrivé ?

— Oh ! si vous saviez !

— J'vous dis que je ne sais rien.

— Une affaire terrible, allez !

— Comment ?

— Tout le canton en a été épouvanté.

— Mais qu'est-ce donc ?

— Si vous saviez !

— Mais j'vous dis que je n'sais rien, encore une fois.

— Ah ! ah ! oui ; eh bien ! imaginez-vous que…

— Eh bien ?

— Imaginez-vous que Mme La Troupe… vous la connaissez ?

— Oui, un peu.

— Cette grande femme-là, qui était si avenante ! eh ! mon Dieu, vous l'avez rencontrée vingt fois pour une ; vous savez bien, c'te femme qui…

— J'vous dis que j'la connais, dit Maurice en maîtrisant autant que possible sa colère ; mais encore une fois qu'est-il donc arrivé ?

— Ah ! monsieur, ce que j'n'aurais jamais pensé, ni moi, ni ma femme, ni mes amis, ni le canton, ni…

— Que l'diable vous emporte avec vos « ni », je vais tâcher de savoir la chose plus vite, dit Maurice en s'éloignant.

— Arrêtez, arrêtez, monsieur ; je n'ai pas eu l'intention de vous fâcher ; c'est que, voyez-vous, c'est une affaire !

Et notre importun se mit à étendre les bras et à les élever au ciel.

— De grâce, monsieur, vous vous lamenterez demain, et contez-moi aujourd'hui…

— Tout d'suite, entrez chez moi ; voyez-vous, j'n'aime pas à conter ça en public, on n'sait pas ce qui peut arriver.

Maurice le suivit en jurant en lui-même.

— Allons, lui dit-il aussitôt qu'ils furent entrés, je suis pressé, de grâce dépêchez-vous.

— Dans l'instant ; emporte-nous un coup, Lisette : vous en prenez, j'suppose ?

— Merci, merci, c'est pas la peine, dit Maurice d'un air qui pourtant indiquait assez qu'il n'était pas accoutumé à en refuser.

— Or çà, dit notre narrateur, en reprenant le fil de son histoire, je vous dirai donc que c'te nuit, vers… j'cré ; dame, écoutez donc, j'cré qu'il était bien quatre heures, hein, Lisette ?

— Eh ben ! quoi donc encore ? dit Lisette en mettant sur la table une vieille bouteille française pleine jusqu'au goulot.

— Quelle heure était-il à peu près lorsque Mme La Troupe ?…

— Dame, il était quatre heures.

— Oui, oui, c'est ça, quatre heures, et t'nez, j'crois même qu'il n'était pas tout à fait ça.

— Mille tonnerres ! que fait l'heure ? dit Maurice en enrageant, mettez celle que vous voudrez et avancez, ou, sur mon âme, je…

— Oui, supposons qu'il fût quatre heures ; nous dormions bien tranquillement, ma femme et moi, car vous savez, monsieur, que le sommeil du matin est toujours le meilleur ; j'ai toujours remarqué cela ; c'est singulier, mais…

— Mais vous n'avancez à rien, mille millions de pies ! dit Maurice en fermant les poings.

— Tout d'un coup, ma femme qui dort moins dur que moi, et puis j'vous dirai en passant qu'c'est toujours l'ordinaire, et si vous êtes marié, monsieur, vous en direz autant que moi ; je n'sais pas, mais j'ai toujours entendu dire que…

— Je veux que *l'siffleu m'étouffe* : si vous n'achevez pas, je *fiche mon camp,* dit Maurice en se levant.

— Tout d'un coup donc, continue notre homme, sans s'occuper du tout des imprécations ni de l'impatience de Maurice, semblable à ces grands orateurs et à ces grands écrivains qui parlent et écrivent beaucoup sans rien dire, et qui font semblant de ne pas entendre les sifflets et les huées de ceux qu'ils ennuient ; tout d'un coup ma femme me pousse : Johnné, qu'elle me dit, entends-tu du bruit dans la rue ? — Queu bruit ? que j'lui dis, et j'saute de mon lit, et j'sors dans la rue malgré les supplications de ma femme, car, soit dit entre nous, monsieur, j'suis brave, et j'ai toujours passé pour ça, sans m'vanter. J'me rappelle que quand j'étais dans la milice…

— Faites-moi grâce de vos exploits, je suis pressé ; auriez-vous envie de me faire manquer mes affaires ? dit Maurice avec un ton de douceur après avoir employé inutilement tout autre moyen.

— Excusez, c'est que vous sentez bien… vous comprenez bien… vous entendez bien que, lorsqu'un homme vient à se rappeler ses belles actions, vous devez comprendre… qu'il n'est pas aisé…

— De vous endurer sans s'damner, dit Maurice.

— Oui, dit notre homme avec son imperturbable sang-froid ; ainsi me voilà dans la rue.

— Dieu soit loué ! Voilà un bon saut d'fait, dit Maurice en se frappant les mains.

— Dieu soit loué ! pas trop, monsieur, pas trop. Figurez-vous un peu que j'me trouve au milieu de la patrouille et de trois voleurs qui venaient de défoncer chez M. Pierre… à ce qu'on m'a dit.

— Et Mme La Troupe ?

— Attendez donc. V'là qu'j'entends : « Il faut prendre Mme La Troupe aussi. » Vous pouvez penser un peu ! Mme La Troupe était bien connue et bien estimée dans le voisinage ; j'rassemble tous mes voisins et j'allons trouver le maître de la patrouille ; et moi, comme le chef de la bande, j'lui dis à sa barbe qu'il ne prendra pas Mme La Troupe, et puis j'lui demande : « Queu qu'vous disez pour vos raisons ? » Oh ben ! tenez, monsieur, voilà le pire de l'affaire qui va s'montrer !

— S'il met autant d'temps à venir que l'reste, dit Maurice, préparez-moi un lit, car j'vois bien que je serai obligé de coucher ici…

— Alors le maître nous dit… mais, monsieur, je n'ai pas fait venir c'te bouteille-là pour rien.

Et Johnné fit signe à Maurice de s'approcher ; il ne se fit pas prier.

— J'vous assure, monsieur, dit Johnné, qu'j'aime à prendre queuqu'chose quand j'conte une histoire comme ça ; ça m'dégoûte… J'vous disais donc que le maître de la patrouille nous dit que madame La Troupe devait être complice avec les voleurs, puisqu'elle les recevait à toute heure dans la nuit ; « et pour vous convaincre, ajouta-t-il, mes braves (il voyait ben à qui il avait affaire, allez), je vais faire une visite avec vous dans l'auberge ». Nous entrons, moi, monsieur le maître, deux de mes amis et un « watchman ». Mme La Troupe était dans l'comptoir avec sa petite fille qui pleurait à fendre le cœur du gros Jim. Nous nous mettons à fouiller et à refouiller partout, fouille, fouille, fouille, et puis fouille donc, tonnerre ! sans trouver aucun effet ; le grenier, la cave, rien ne fut épargné ; madame La Troupe nous r'gardait faire sans rien dire. Enfin nous étions près de tout abandonner lorsqu'un homme de la patrouille nous cria en sortant de la cave : « Venez, venez voir. » Nous suivons c't'animal, et il nous montre dans le mur une espèce de porte que nous n'avions pas encore remarquée. Jugez d'not'surprise lorsque, après avoir forcé la serrure, on vit six grandes tablettes fixées dans la pierre surchargées d'argenterie ; c'étaient des chandeliers, des grands plats, des belles assiettes, des beaux bassins tout d'argent, et l'diable et son train.

Vous pouvez compter si ça m'donna un coup ; madame La Troupe qu'avait toujours passé pour si honnête, si respectable ; foi de créquien, monsieur, je n'suis pas mauvais, vrai comme v'la un'bouteille ; mais t'nez, quand je m'vis trompé d'la pareille façon, ça m'mit dans un'colère, entendez-vous, qu'j'aurais pu tuer !

— Et vous avez pris madame La Troupe ? dit Maurice, voulant mettre fin à cet entretien qui le touchait d'assez près.

— Comme de raison ; mais écoutez, c'n'est pas tout. Nous remontons dans l'auberge, et le chef d'la patrouille, après avoir fait retirer tout l'monde excepté moi, parla à madame La Troupe, à peu près comme ça : « Madame, qu'il lui dit, on a trouvé des effets volés dans votre cave ; votre auberge est ouverte à tous les brigands, tout me porte à croire que vous agissez avec eux : par conséquent je vais user de mon autorité pour vous faire conduire en prison. »

Mme La Troupe gardait un silence complet.

— Avez-vous queuqu'chose à dire pour votre défense ? que j'lui dis.

Elle jeta autour de la chambre un regard égaré, puis elle répondit faiblement : « Rien. » Puis ayant appelé vers elle sa petite fille, elle la serra longtemps contre son sein en l'arrosant de ses larmes ; il y eut en elle un moment de repentir, après quoi elle se leva tout à coup, les cheveux hérissés comme du vrai crin, les yeux tout grands ouverts, et ayant repoussé brusquement son enfant : — Ne pleure pas, lui dit-elle, ta mère a mérité son châtiment. Malheur à ceux qui m'ont perdue ! Malheur à eux ; ils périront avec moi ! Puis elle retomba évanouie sur sa chaise.

Maurice, malgré son sang-froid ordinaire, ne put s'empêcher de trembler en entendant ces derniers mots ; et dans la crainte de ne pouvoir assez déguiser son trouble, il se leva et sortit aussitôt en saluant Johnné, qui ne savait que penser d'un départ aussi brusque et aussi subit.

Maurice, comme on peut le penser, ne fut pas sans faire des réflexions terribles sur sa situation actuelle et sur l'autre, plus horrible encore, qui l'attendait d'après ce que madame La Troupe avait dit. Il traversait machinalement toutes les rues, la tête basse, les bras pendants, et en prononçant souvent à demi-voix des imprécations terribles. À sa démarche, il était facile de voir qu'il était sous l'influence du désespoir. Ce fut dans cet état qu'il arriva sur le marché. Il y était depuis dix minutes, lorsqu'il entendit prononcer, à côté de lui, un nom qui le frappa ; il leva la tête et aperçut un homme d'un certain âge, très bien mis, qui paraissait arriver d'un long voyage ; c'était M. des Lauriers dont nos lecteurs ont déjà vu le nom sur une lettre qu'il avait adressée à maître Jacques. Maurice le considéra avec attention ; il fut sur le point d'aller lui parler ; mais la crainte l'arrêta. Il se retira tout à coup de la halle ; une idée lumineuse venait de traverser son esprit.

Bientôt on le vit marcher à pas précipités dans la rue Saint-Louis et, à quelque distance, on aperçut un autre homme qui suivait la même direction et qui paraissait ne pas vouloir le perdre de vue. C'était Magloire, le domestique de Stéphane.

IX

RÉVÉLATIONS

Stéphane, content d'avoir pu mettre son dessein à exécution, avait laissé la halle et s'était rendu chez lui afin d'attendre le résultat de ce dernier moyen d'avoir des informations sur l'existence de maître Jacques. Il n'y avait pas dix minutes qu'il était arrivé lorsqu'on vint lui dire que quelqu'un désirait lui parler. Il descendit dans l'antichambre et aperçut une jolie petite fille, mais d'une pâleur extrême et les yeux pleins de larmes. Élise, c'était la fille de madame La Troupe, en voyant Stéphane pour la première fois, baissa les yeux et fut si troublée qu'elle fut incapable de dire un mot.

— Que voulez-vous, ma pauvre enfant ? lui dit Stéphane avec douceur, car il s'était aperçu qu'elle avait du chagrin.

— Ma mère voudrait vous voir, répondit-elle en sanglotant.

— Quelle est votre mère, ma chère ?

— Mme La Troupe.

— Et pourquoi pleurez-vous tant ? Est-il arrivé quelque malheur à votre mère ?

— Hélas ! oui, monsieur, dit Élise en se cachant les yeux dans ses deux mains, maman est en prison.

— En prison ! dit Stéphane foudroyé par cette nouvelle, en prison !... Écoutez, Élise, ajouta-t-il après s'être remis un peu, cessez de pleurer et allez dire à votre mère que, quoiqu'il m'en coûte beaucoup d'aller lui rendre visite dans un pareil lieu, cependant elle peut m'attendre dans une demi-heure. Allez, ma pauvre petite.

Et Stéphane prit la main d'Élise et la conduisit en lui donnant une pièce d'argent.

Un quart d'heure après, Stéphane entrait dans les prisons au milieu des jurements et des imprécations des portiers et d'une soldatesque grossière et impudente.

Les prisons !… ne semble-t-il pas que ce mot seul, prisons, exprime quelque chose de terrible et d'effrayant, quelque chose de redoutable, qui glace le sang et brise le cœur ? Lorsque vous prononcez ce mot ou que vous l'entendez dire, ne vous figurez-vous pas sur-le-champ des murs épais, des cachots ténébreux et infects, des grilles et des portes de fer, des spectres hideux, des personnes décharnées ? Ne croyez-vous pas entendre des gémissements sourds, des cris aigus, des larmes continuelles, le bruit des chaînes, le fracas des criminels ? Ce mot, prison, ne vous retrace-t-il pas un séjour de douleur et de supplices, un repaire empoisonné, une caverne où le soleil n'a jamais pénétré, un purgatoire terrestre en un mot ?…

Entrons avec Stéphane, et voyons si le tableau que nous aurons à contempler est réellement aussi effrayant que celui que nous aurons formé dans notre imagination.

En parcourant les longs et humides corridors qui traversent la prison, en entendant l'écho sourd et entrecoupé qui répétait le bruit de ses pas, et en voyant ces énormes portes qui craquaient et roulaient lentement sur leurs gonds, Stéphane ne put s'exempter d'un certain mouvement de frayeur mêlée de dégoût. Pour arriver à la chambre de Mme La Troupe, il fallait traverser celle des hommes. C'était une vaste salle carrée, située au centre de l'édifice et éclairée par cinq fenêtres toutes barricadées avec de grosses barres de fer. C'était là que Stéphane devait avoir sous les yeux un spectacle vraiment répugnant et horrible. En y entrant, il fut près d'être suffoqué par l'air empesté et nauséabond répandu dans l'appartement, et écrasé par une foule de scélérats qui se pressaient autour de lui en lui tendant la main. Malheureusement, Stéphane, n'ayant sur lui rien à donner à ces infâmes brigands, se fit siffler et insulter ; plusieurs même, qui n'avaient pas encore perdu leur instinct brutal et leur cupidité, voulurent se jeter sur lui pour le dépouiller. Puis c'étaient des imprécations, des jurements et des ricanements affreux. Les uns chantaient, les autres pleuraient et gémissaient ; ici on en voyait qui étaient en proie au plus terrible désespoir ; là quelques autres se livraient à une joie sardonique et bruyante ; plus loin ils se disputaient, se maudissaient les uns les autres et se tiraient aux cheveux.

Telle était cette chambre que les geôliers appelaient *l'antre du diable,* semblable pour la malpropreté à un bourbier épais où croupissent des insectes dégoûtants, et pour le fracas à un repaire de bêtes féroces poussant de continuels hurlements, et se ruant avec rage et impétuosité les unes sur les autres.

Stéphane, en sortant de cette chambre, jeta un dernier regard sur la scène affreuse qui venait de se dérouler à ses yeux, et sentit ses membres mus par un tremblement convulsif et son cœur se briser par des pulsations violentes. Il s'appuya un instant sur la tablette d'une fenêtre.

— On voit bien, dit le geôlier en souriant de pitié, que vous n'êtes pas accoutumé à de telles visites ; mais j'avouerai aussi que je n'ai jamais vu tant de commerce qu'aujourd'hui. Allons, allons, monsieur, ne vous découragez pas : le pire est fait.

— Tant mieux, mon Dieu, dit Stéphane, en reprenant courage malgré lui, s'il n'en était pas ainsi, j'aimerais mieux retourner sur mes pas.

Le geôlier ouvrit la troisième porte qu'ils rencontrèrent et introduisit Stéphane dans un appartement proprement blanchi et balayé : c'était un nouveau spectacle, moins bruyant à la vérité, mais plus digne de pitié et plus susceptible de faire impression sur un cœur sensible comme pouvait l'être celui de Stéphane. Parmi toutes les femmes, au nombre de trente à quarante, qui étaient rangées tout autour de la salle, une seule ne travaillait pas encore à l'œuvre pénitentiaire, c'était Mme La Troupe. Aussitôt qu'elles aperçurent le geôlier et Stéphane, elles se levèrent avec un respect mêlé de crainte et baissèrent la vue sur leur ouvrage, d'un air qui semblait demander grâce. Elles étaient assez proprement vêtues, mais maigres et décharnées, et tenant une posture nonchalante nécessaire d'après la vie sédentaire qu'elles étaient obligées de mener.

Stéphane, en examinant furtivement ces femmes perdues, indignes d'un sexe qu'elles déshonoraient, frémit involontairement et porta la main à son front, comme s'il eût voulu chasser les réflexions qui l'accablaient ; mais lorsqu'il vint à remarquer attentivement Mme La Troupe qui, de son côté, le regardait en versant des larmes… Stéphane pleura aussi…

Pauvre Stéphane ! les larmes que tu répands maintenant te sont arrachées par la pitié ; dans un instant il te faudra en verser d'autres plus pénibles encore, puisqu'elles naîtront d'un amour malheureux…

Et comme s'il eût eu honte de sa faiblesse, il s'essuya promptement les yeux et s'avança d'un pas assez hardi à l'extrémité de la chambre où était Mme La Troupe. Aussitôt que le geôlier se fut retiré, elle fit passer Stéphane dans une espèce de petite cellule pratiquée dans le fond de la principale chambre. Élise les suivit.

Stéphane se jeta sur un banc de bois fixé au mur et laissa retomber sa tête sur l'embrasure d'une fenêtre. Mme La Troupe le regardait avec un air de confusion et de timidité ; elle n'osait commencer l'explication du rendez-vous qu'elle avait donné.

Enfin, après un quart d'heure, Stéphane se leva brusquement comme s'il se fût réveillé d'un sommeil profond et, fixant les yeux sur Mme La Troupe :

— Pourrais-je savoir, madame, ce qui m'amène ici, dans un lieu où j'ai eu tant à souffrir ?

Mme La Troupe rougit et baissa la vue, puis elle ne répondit rien.

Stéphane se reprocha le ton d'aigreur qu'il avait pris en lui faisant cette première question ; pensant que son silence venait de là, il reprit avec plus de douceur :

— De grâce, parlez ; depuis quand êtes-vous ici ?

— Depuis hier au matin, répondit-elle sur le ton d'une condamnée devant son juge.

— Par quel accident ?

— Par un accident que je devais prévoir, répondit Mme La Troupe avec plus de hardiesse.

— Que voulez-vous dire ? dit Stéphane en reprenant son air de sévérité.

— Je veux dire que j'ai bien mérité ce qui m'est arrivé.

En prononçant ces derniers mots, Mme La Troupe sentit disparaître toute sa timidité pour faire place à la colère et à la vengeance.

— Malheureuse !

Et Stéphane, honteux de se trouver en tête en tête avec une pareille femme, prit son chapeau et fut sur le point de se retirer.

— Attendez, monsieur, attendez, dit Mme La Troupe en lui prenant le bras : il s'agira bientôt plus de votre intérêt que du mien.

Stéphane frémit.

— Sachez, poursuivit Mme La Troupe en grinçant des dents, que si je suis ici aujourd'hui, si je suis condamnée à y terminer ma vie, je dois le reprocher à un seul homme, le plus infâme, le plus exécrable que l'on puisse rencontrer. Malheur à lui ! voici le temps de la vengeance arrivé, voici le moment où ses crimes vont être dévoilés, où ses victimes vont se ruer sur lui pour le condamner et le maudire ! Maudit soit-il ! s'écria Mme La Troupe dans un violent accès de désespoir, en s'arrachant les cheveux et en se frappant la tête.

Élise, effrayée, s'était approchée en tremblant de Stéphane qui n'était guère plus rassuré qu'elle.

Après un quart d'heure passé dans des transes et des convulsions horribles, Mme La Troupe devint un peu plus calme ; des sueurs froides inondaient ses joues décharnées ; elle se laissa tomber sur une chaise ; puis, jetant sur Stéphane des yeux égarés, elle versa des larmes abondantes et reprit :

— Je devrais être la dernière des femmes qui dût terminer sa vie aussi misérablement ; il fut un temps de bonheur et d'aisance pour moi, un temps de vertu et de piété, un temps où je venais moi-même consoler et secourir les prisonniers ! Et aujourd'hui qu'est devenu ce temps ? J'étais riche, monsieur, aussi riche que ces dames qui tiennent à présent les premières places dans la société ; je suis devenue pauvre, mais au moins je puis dire que je n'ai jamais mérité ce premier malheur ; je l'ai dû à un frère en qui ma confiance avait été poussée trop loin.

Mme La Troupe raconta à Stéphane cette première partie de sa vie que nos lecteurs ont déjà apprise de la bouche de Julienne.

— Voilà, dit-elle en terminant, comment du haut de la grandeur et de la fortune, je me suis vue abaissée tout à coup au dernier échelon de la société et de la misère. Mais jusqu'alors j'avais conservé une partie de mon bonheur : la vertu et la religion. Un monstre plus terrible encore que le premier méditait sourdement le projet de me plonger dans un abîme plus profond que le premier, et d'où je ne devais jamais sortir : et cet abîme, le voilà, monsieur, dit Mme La Troupe en étendant les bras et en montrant les quatre murs de sa prison ; et ce monstre ; vous allez le connaître dans un instant.

Ce fut trois mois après la mort de mon époux que je le vis pour la première fois ; ses manières polies, son air de respect et de modestie, sa honte apparente, tout me porta en sa faveur. Et pourtant, qui eût pensé que c'était un hypocrite auquel je ne devais pas me fier ? oui, monsieur, un hypocrite tel que l'enfer n'en a jamais connu, un hypocrite dont on ne pourra jamais approfondir la scélératesse et l'impudence…

Voyant le dénuement et la misère où nous vivions, ma chère petite fille et moi, il nous comblait de présents et de bontés, et dans toutes les transactions il montrait tant d'empressement, tant de délicatesse que je ne tardai pas à m'attacher entièrement à lui et à lui donner une amitié et une confiance sans bornes. Je lui racontai tous mes malheurs ; il feignit d'y prendre part, et se répandit en invectives et en reproches contre mon frère ; et lui-même, le monstre, roulait dans son esprit diabolique la ruine de mon âme et de ma réputation. « Madame, me dit-il, vous n'avez plus rien à espérer à la campagne ; mais si vous voulez bien profiter de l'avantage que je vais vous proposer, je suis certain que vous pourrez encore être heureuse. J'ai à Québec un hôtel qui se trouve abandonné aujourd'hui, faute d'une personne respectable et capable de remplir la fonction d'hôtelière ; je vous l'offre, madame, avec d'autant plus de confiance que je connais vos qualités et votre activité ; vous aurez, en y entrant, tout ce qui sera nécessaire pour tenir une bonne maison, et les pensionnaires ne vous manqueront pas. Je vous donne donc la préférence sur le grand nombre de personnes qui en ont déjà fait la demande. »

Ma situation ne me permettait pas d'hésiter : je l'acceptai donc avec reconnaissance, et huit jours après je laissais, en pleurant, le lieu de ma naissance où j'avais passé de si heureux jours ; j'allai dire un dernier adieu à la tombe de mon époux, j'embrassai tous mes amis, et je me mis en route avec Élise et le peu d'effets qui m'étaient restés.

Me voilà donc rendue à cet hôtel ; mais quel hôtel, grand Dieu ! Vous l'avez vu, monsieur : c'était l'auberge du faubourg Saint-Louis telle qu'elle est aujourd'hui.

Ici, Mme La Troupe s'arrêta pour donner un libre cours à ses larmes ; jusqu'ici elle n'avait eu à raconter que le malheur ; mais elle touchait à présent à quelque chose de plus révoltant : le crime !

Stéphane, après avoir partagé sa douleur, la pria de continuer.

— Lorsque j'aperçus cette chétive masure, reprit Mme La Troupe, lorsque je remarquai le délabrement, la malpropreté et l'abandon qui m'étaient réservés, je regrettai mon premier état, ma misère, tout affreuse qu'elle était ; cependant je ne voulus pas encore m'arrêter à la pensée que j'avais été trompée ; mon protecteur (je pouvais alors lui donner ce nom) m'avait paru trop plein de mérite. J'attendis avec impatience une visite de sa part ; il vint le lendemain matin.

— Est-ce là, lui demandai-je, l'hôtel ?... — Les misérables, me dit-il avec une colère affectée, voyez un peu s'il y a à laisser quelque chose de bon à leur disposition ; voyez comme ils ont tout massacré dans l'espace d'un mois tout au plus. Je vous demande pardon, madame, me dit-il avec déférence, j'ai été trompé moi-même ; j'avais donné permission à quelques-uns de mes gens de loger ici en attendant, et voyez, ajouta-t-il en levant les épaules ; mais ne vous désespérez pas ; je vais remettre en peu de temps toutes les choses en ordre ; vous serez comme une reine ; demain, je vais envoyer des ouvriers et des effets ; prenez courage, madame, vous verrez que je suis homme à tenir ma promesse ; et il se retira en me donnant deux dix schellings pour la journée.

Le lendemain, la semaine passèrent, je ne vis arriver personne, ni ouvriers ni mon protecteur ; ce ne fut que le mardi de la semaine suivante que j'eus sa seconde visite ; il me dit que de mauvaises affaires l'avaient empêché d'avoir des ouvriers, mais qu'il en enverrait aussitôt qu'il serait en état de les payer. Enfin, pour abréger autant que possible cette malheureuse histoire, je vous dirai que mon auberge resta telle que vous l'avez vue, qu'elle ne fut fréquentée que par le rebut de la société avec qui je m'accoutumai peu à peu, si bien que, au bout de trois mois, j'en avais acquis les vices et les habitudes. À force de détours et de supplications, je parvins à apprendre que j'avais affaire à des brigands et à des scélérats dont le chef n'était autre que mon protecteur. Il m'avoua tout lui-même et me fit de si horribles menaces, de si belles promesses, que je n'eus pas le courage d'abandonner l'auberge. Il me mit ensuite dans ses secrets et ses intérêts les plus chers ; je connaissais tous les crimes avant même leur exécution ; et ma maison devint le réceptacle de tous les effets volés.

Ce mystère ne pouvait durer longtemps. Cette nuit on a surpris les brigands au moment où ils entraient chez moi pour cacher leur vol ; on fit des fouilles, elles ne furent pas infructueuses ; il était donc visible que j'étais leur complice ; et il m'a fallu subir le même sort.

Mme La Troupe s'était empressée de raconter la fin de son histoire pour éviter sans doute les justes remarques que Stéphane aurait pu faire, et pour abréger, autant que possible, la honte et la confusion que de pareils aveux devaient nécessairement faire naître en elle ; mais elle ne put résister plus longtemps : elle tomba évanouie sur la parquet. Élise, qui la crut morte, se jeta sur elle en l'appelant à haute voix. Ce fut une terrible scène pour Stéphane, un horrible contraste que de voir la vertu aux prises avec le crime entre les quatre murailles d'un sombre cachot !

Mme La Troupe revint bientôt à elle ; puis, après avoir pressé sa fille sur son cœur, elle se traîna jusqu'à Stéphane, et retombant à ses genoux :

— Ô Stéphane, lui dit-elle en pleurant, si les prières d'une femme criminelle mais repentante peuvent avoir quelque influence sur vous, si votre cœur, en maudissant le crime et ses esclaves, peut respecter et aimer la vertu toujours pure au milieu du vice, daignez protéger une misérable orpheline qui sans vous devra traîner sa vie dans l'infortune et l'esclavage, peut-être, hélas ! dans la scélératesse comme son infâme mère. Oh ! dites-moi, monsieur, dites-moi que vous l'arracherez des mains des scélérats qui m'ont perdue ; dites-moi que vous la conduirez dans le chemin de la vertu, que vous la conserverez dans la pureté où elle a toujours vécu jusqu'à présent… Viens, Élise, viens te jeter avec moi aux pieds de M. Stéphane… Pauvre enfant !… tu n'as plus personne maintenant sur la terre !…

Stéphane releva Mme La Troupe, et lui promit de prendre soin d'Élise ; puis se rappelant qu'elle lui avait donné à entendre que le rendez-vous l'intéressait autant qu'elle, il la pria de le lui apprendre.

Mme La Troupe le regarda fixement.

— Avant de vous répondre, monsieur, lui dit-elle, permettez-moi de vous faire une question. Aimez-vous encore la fille de maître Jacques ?

— Pourquoi voulez-vous savoir cela ?

— Parce que si vous ne l'aimez plus, je n'aurai rien à vous dire.

— Eh bien, supposons que je l'aime encore.

— Ce n'est pas une supposition, monsieur, je le vois bien, vos yeux m'en disent assez. Avez-vous eu des informations sur son compte ?

— Non.

— Aimeriez-vous à en avoir ?

— Parlez, dit Stéphane avec crainte et inquiétude.

— Ce que je vais vous dire est terrible.

— Parlez, dit encore Stéphane d'une voix tremblante.

— Vous l'exigez donc ?

— Oui.

— Eh bien, je vous conseille d'oublier pour toujours la fille de M. Jacques.

Stéphane pâlit.

— Qu'avez-vous à dire contre elle ?

— Rien contre elle : au contraire, c'est une charmante enfant, douce, vertueuse, remplie d'excellentes qualités, aussi pure qu'un ange, je le sais de bonne part ; mais son père…

— Eh bien, son père, qu'allez-vous dire ?

— Son père est… brigand…

— Un brigand !

— Le chef d'une bande de scélérats.

— Ciel !…

—Le même qui m'a perdue !…

—Le misérable !… un brigand !… le chef !… et sa fille, un ange !…

Horrible mystère, dit Stéphane en faisant trois ou quatre tours dans le caveau, et en sortant brusquement comme un homme que la folie vient d'accabler.

X

DELIRIUM TREMENS

Trois heures sonnent lentement. Stéphane est dans sa chambre étendu sur une bergère, le visage d'une pâleur livide, les yeux égarés, les cheveux en désordre et les poings fermés. Tout à coup il se lève, se promène à grands pas, frappe tout ce qu'il rencontre, et vient retomber sur son fauteuil ; puis il se relève encore, se roule sur le plancher, déchire ses habits et regagne encore une fois son siège. Tantôt il grince des dents, s'arrache les cheveux, se meurtrit les bras ; tantôt il pleure, il gémit, il tremble convulsivement, puis ses yeux se ferment doucement, on dirait qu'il repose paisiblement.

Helmina, la fille d'un brigand !…

M. Jacques, un brigand !… Chère Helmina… je l'aime… et c'est la fille d'un brigand, d'un chef… voilà donc les informations !… Et puis, mon père… oh ! il ne voudra pas… non, Émile… jamais ! que dis-je ?… oui, je l'épouserai… contre mon père, oh ! mais c'est horrible !… l'abandonner !… jamais !… si belle, si vertueuse… Maître Jacques… l'infâme ; je le tuerai… il le mérite… Helmina ! Helmina !…

Et Stéphane retomba dans un assoupissement léthargique qui lui fut favorable ; il s'éveilla les sens plus tranquilles, l'esprit moins agité ; il ne conservait plus qu'une douleur modérée et plus concentrée…

En ce moment on frappa à la porte, Stéphane s'efforça de reprendre son sang-froid habituel ; mais il ne réussit pas assez pour que Magloire ne s'aperçût pas de quelque chose.

— Eh bien, Magloire ? dit Stéphane avec précipitation, pour empêcher toute question de la part de son serviteur.

— Eh bien, mon maître, répondit Magloire sur le même ton, les affaires ont été rondement.

— Que trop peut-être, dit le malheureux en soupirant.

— Comment que trop ? ça n'peut jamais aller trop ben.

— Où demeure cet homme ?

— Justement dans une des premières maisons de Sainte-Foye, une jolie p'tite maison, sur mon âme, propre comme un sou ben frotté.

— Tu y es entré ?

— Comment donc ? Vous savez ben que je manque jamais mon coup, dit Magloire avec importance. J'ai suivi mon « gars », avec beaucoup de peine par exemple ; il allait d'un pas de cheval. Je n'me suis arrêté qu'à quelques arpents de la maison, et j'me suis enfourné dans un tas de branches ; il a pas été dix minutes dedans, et il a gagné le bois du Cap-Rouge.

— C'est bien cela, dit Stéphane à demi-voix, les misérables !

— Quoi ?

— Rien, Magloire, rien.

— Aussitôt que je l'ai vu dans le bois, j'suis sorti d'mon trou et, en faisant semblant d'être ben fatigué, j'suis entré pour me r'poser. Et puis, une chance du bon Dieu, il n'y avait que deux p'tites filles, propres comme deux petites chattes, et puis jolies ! oh, dame, t'nez, j'commence à être sur l'âge pourtant, et ben j'n'ai pu m'empêcher de leur faire les yeux doux, ma parole d'honneur. Il y en avait une surtout, justement celle à qui j'ai donné vot'lettre, t'nez, vrai comme j'm'appelle Magloire, c'est comme le petit enfant Jésus de la messe de minuit.

Stéphane sourit malgré lui.

— Tu lui as donné la lettre ?

— Eh oui, vous me l'aviez dit, pas vrai ?

— Oui ! je te remercie, Magloire…

Elle sait tout à présent, murmura Stéphane…

— Et qu'a-t-elle fait ?

— D'abord elle m'a remercié, car c'est poli, n'faut pas en parler ; ensuite elle a rougi, puis elle s'est retirée dans une autre chambre, et je ne l'ai plus revue.

— Et tu t'es retiré ?

— Non pas ; j'ai demandé ensuite à quelle heure on pourrait voir le maître de la maison ; on m'a répondu qu'il n'était chez lui qu'à l'heure des repas.

— Je vois malheureusement que tu n'as rien oublié de ta commission.

— Malheureusement ? Pourquoi ce mot M. Stéphane ?

— Écoute-moi, Magloire ; j'ai cru que je pouvais aimer cette jeune fille, c'était pour le lui apprendre que tu lui as remis une lettre de ma part ; comme j'ai appris ce matin qu'il m'était impossible de consommer cet amour, j'aurais voulu au moins qu'il demeurât secret, qu'il mourût en moi seul.

— J'ai cru m'apercevoir en effet que vous l'aimiez, elle est si belle, elle paraît si vertueuse, si bonne enfant !

— Elle l'est en effet, Magloire, elle ferait mon bonheur ; et malgré cela…

— S'il m'était permis, dit Magloire avec timidité…

— Tu me demanderais pourquoi, n'est-ce pas ? dit Stéphane en devinant sa pensée ; eh bien, je vais te le dire ; crois-tu que le monde, et mon père surtout, souffrirait que j'épousasse la fille… d'un brigand ?

— Elle, grand Dieu, la fille d'un brigand !

— Oui, Magloire, la fille d'un brigand qui dans quelques jours peut-être périra sur l'échafaud.

— Mais, c'est impossible ! M. Stéphane, à la voir…

— On ne le dirait pas sans doute, et pourtant c'est le cas. C'est un mystère que je t'expliquerai une autre fois.

Stéphane se cacha le visage dans ses deux mains et pleura amèrement.

Magloire se prit à réfléchir profondément sur ce qu'il venait d'apprendre, lorsqu'on frappa doucement à la porte et, en même temps, Stéphane, en écartant un peu ses mains, aperçut son ami Émile. Magloire voulut se retirer, mais Stéphane le retint.

— Demeure ici, Magloire, lui dit-il.

— Encore du chagrin, mon pauvre Stéphane, dit Émile en lui frappant légèrement sur l'épaule, vous n'êtes pas raisonnable.

— Voilà longtemps qu'il pleure comme ça, dit Magloire, c'en est « démontant ».

— Voyons, mon cher ami, montrez-vous plus ferme que cela ; avez-vous eu des nouvelles d'Helmina ?

— Ne m'en parlez plus Émile ; ne me parlez plus de cela ; je n'y serai plus, je veux l'oublier, dit Stéphane avec un air de décision pénible… Pauvre Helmina !…

— De grâce, dites-moi qui vous a fait prendre une résolution aussi prompte ?

— L'honneur, Émile, l'honneur, croyez-vous que ce n'est rien ?

— C'est beaucoup, mais encore, parlez.

— Oui, je parlerai ; mais ce sont d'horribles révélations que je vais vous faire.

— N'importe.

— Eh bien, vous rappelez-vous Mme La Troupe ?

— Parfaitement.

— Savez-vous où elle est maintenant ?

— Où nous l'avons vue, probablement.

— Non pas où nous l'avons vue, mais où je viens de la voir…

— Expliquez-vous.

— Elle est en prison.

— En prison ! Et vous avez été la voir ?

— Il n'y a qu'un instant.

— Et depuis quand y est-elle ?

— Depuis hier ; on a trouvé chez elle des effets volés…

— La misérable, elle était donc complice ?

— Oui, Émile, complice ; elle me l'a avoué, elle m'a raconté sa vie ; vous ne vous êtes pas trompé, elle a été respectable, riche et vertueuse ; mais elle a été ruinée d'abord par un frère, et perdue ensuite… vous ne devinerez pas par qui… Par un monstre, par maître Jacques, enfin !…

—Maître Jacques, Stéphane, maître Jacques !

— Oui, par maître Jacques… Comprenez-vous maintenant pourquoi je pleure ?…

Et Stéphane se frappait le front et se tordait les bras en répétant toujours : vous comprenez donc pourquoi je pleure !

— Du calme, de la raison, mon cher Stéphane, dit Émile en lui retenant les bras.

— Non, plus de calme, Émile, plus de repos, que lorsque la mort me le donnera ; mais toujours du chagrin, toujours des larmes.

Puis il tomba dans de nouvelles crises. Portant partout ses yeux égarés, il se leva tout à coup et se rua sur tout ce qu'il rencontra, malgré les efforts de Magloire et d'Émile… Le voilà, le misérable, le voilà, Émile ; le voyez-vous ?… Approche donc, infâme ; tenez, sa fille est avec lui. Helmina, ma chère Helmina, elle pleure… il l'a battue, le lâche !…

En même temps, son père, attiré par ses cris, ouvrit la porte.

— Qu'est-ce que ce bruit ? demanda-t-il. Mon Dieu, il est fou ! mon fils est fou !

Puis il s'avança pour parler à Stéphane.

— Tenez, dit Stéphane en le voyant venir ; le voilà encore le scélérat, il approche, il va me tuer… Et Stéphane tomba sur une chaise, hors d'haleine.

— Que dit-il ? Seigneur ! dit M. D… tu ne me reconnais donc pas, mon cher enfant ?

Stéphane le regarda attentivement depuis les pieds jusqu'à la tête.

— Comme tu es fou, Stéphane, tu ne reconnais pas ton père ?

Stéphane le fixa encore une fois, puis il se jeta à son cou : il l'avait reconnu.

— Oh ! pardonnez, mon père, pardonnez, c'était un rêve ; pourtant non, je l'ai bien vu, n'est-ce pas qu'il est venu, il a voulu me tuer parce que j'aime sa fille, le scélérat !

— Tu te trompes, Stéphane, personne n'est venu excepté moi.

— Ne le laissez pas entrer, mon père, c'est un brigand, maître Jacques !

— De qui veux-tu parler, mon pauvre enfant ?

— Je parle, continua Stéphane en regardant au fond de l'appartement et en montrant du bout de son doigt, je parle de celui qui était là il n'y a qu'un instant, de maître Jacques, le père d'Helmina.

Stéphane tomba épuisé dans les bras de son père.

Émile et Magloire le transportèrent doucement sur son lit ; son repos fut assez paisible.

— Mon cher Émile, dit M. D..., croyez-vous à des suites dangereuses pour sa santé ?

— Il n'en sera rien, j'espère, monsieur, si toutefois Stéphane sait modérer sa douleur et prendre un peu plus sur lui.

— Pauvre enfant !... mais dites-moi, quel est ce maître Jacques dont il me parlait ? Sans doute un homme qu'il se figurait ?

— Je vais vous raconter cette histoire en peu de mots, dit Émile en parlant le plus bas possible. Il y a environ quinze jours, Stéphane rencontra une jeune fille dont il devint amoureux, sans même connaître sa famille et sa naissance. Nous avons fait ensemble beaucoup de perquisitions à cet égard, et ce n'est qu'aujourd'hui que votre fils a appris que son amante est la fille d'un brigand nommé maître Jacques.

— Le malheureux ! « s'enmouracher » d'une pareille fille !

— Je vous assure, monsieur, que c'est la plus charmante enfant que j'aie rencontrée ; et de plus, Stéphane a appris qu'aux qualités extérieures elle réunissait encore celles du cœur et de la vertu.

— Comment cela peut-il être dans la fille d'un brigand ?

— Je l'ignore ; mais je sais que c'est le cas.

— Quand tout cela serait vrai, mon cher Émile, vous conviendrez que sa naissance gâte tout cela.

— Malheureusement oui ; et voilà ce qui cause tout le chagrin de votre fils.

— Pourvu au moins, dit M. D… d'un air découragé, que la jeune fille ignore cet amour.

— Elle le sait, monsieur, dit Magloire, je lui ai remis une lettre de la part de M. Stéphane qui le lui a appris.

— Mille damnations ! il ne manquait plus que cela. Peut-il avoir poussé la folie jusqu'à ce point !

— Il le regrette beaucoup à présent, soyez-en persuadé, dit Émile.

— Il est bien temps vraiment de le regretter ; mais croyez-vous que la jeune fille l'aime de son côté ?

— J'en suis certain.

— L'insensée ! elle se connaît pourtant !…

—Pardon, monsieur, dit Magloire ; j'ai entendu dire à M. Stéphane qu'elle ignorait elle-même que son père est un brigand.

— Quel coup pour elle lorsqu'elle l'apprendra ! dit Émile.

— Mais c'est donc un mystère ? dit M. D… en levant les mains au ciel.

XI

ENLÈVEMENT

Magloire avait à peine quitté l'habitation de Maurice que Julienne avait déjà rejoint son amie, qui n'eut rien de plus pressé que de lui montrer la lettre qu'elle venait de recevoir, ainsi que la boucle de cheveux de Stéphane.

— Ce sont bien là ses cheveux, dit l'amante en rougissant ; et cette lettre, lisez-la, ma bonne amie ; il doit venir me voir. Ô ciel ! s'il allait se rencontrer avec mon père…

Julienne lut attentivement la lettre puis, la remettant à la jeune fille, elle vit ses yeux humides et deux grosses larmes glisser comme des perles sur la pourpre de ses joues.

— Pourquoi pleurer, ma chère ? Cette lettre ne doit-elle pas au contraire vous rendre l'espérance et la joie ?

— Non Julienne ; il est vrai que je connais et son nom et son amour ; pour toute autre que moi cette réciprocité qu'il m'avoue serait le bonheur ; mais pour moi, à quoi me servira-t-il, sinon à me rendre encore plus malheureuse que je ne le suis à présent ?

— Pourquoi ces idées sombres ? Attendez donc que vous n'ayez plus d'espérance ; alors il sera bien assez temps de pleurer.

— Je suis certaine que mon père se refusera à tout.

— Qui vous l'a dit ?

— Sa conduite récente envers moi, ses conseils contre le mariage, son mépris avoué envers les jeunes gens.

— Allez-vous montrer cette lettre à Madelon ?

— Qu'en dites-vous ?

— Je ne vois pas pourquoi nous la lui cacherions plus que le reste.

— Vous avez raison, Julienne, elle la verra. Tenez, je crois entendre sa voix, la voilà qui revient des champs.

En effet le son d'une voix grêle et cassée se fit entendre chantant une chanson de paysan, et peu après Madelon entra avec le lait de ses vaches.

— J'avons de la pluie, mes enfants, voilà les poules qui « gourgoussent » ; j'avons du mauvais temps. Toujours du mauvais temps, dit-elle en rentrant.

— Toujours du mauvais temps, dit Julienne, cela devient fatigant.

— T'as raison, ma fille ; épi, c'est qu'ça fait tort, parce que quand il mouille la journée des sept frères martyrs, on a d'la pluie pendant quarante jours. C'est une vieille remarque, ça, épi c'est immanquable.

— Mais dites donc, les enfants, Maurice est-il venu aujourd'hui ?

— Oui, un instant.

— Que peut faire le cher homme toujours hors de la maison ?

— Or çà, Madelon, dit Julienne en branlant la tête, nous avons eu de la visite tandis que vous étiez absente.

— Oui ! qui donc ? queuqu'« faraud », ma fille ?

— Non, mais un messager de « faraud », par exemple.

— Pas possible ! et pour qui ? dit Madelon en faisant la moue.

— Dame, pour Helmina.

— Tout d'bon ?

La jeune fille rougit et baissa les yeux.

— Tiens, tiens, il fallait ça pourtant ; et que t'a-t-il dit, ma mignonne ?

— Bah, dit Julienne, il ne lui a rien dit, c'est trop commun ça ; mais il lui a apporté une lettre.

— Une lettre ! ah ben, sûrement tu vas m'montrer ça, Helmina, ça doit être futé, par exemple ! Un cavalier d'la ville, hein ! ça n'badine pas.

Helmina sourit malgré elle, puis ayant tiré de son sein une lettre délicatement pliée, elle la remit à Madelon.

— N'faut pas avoir honte, mon enfant, dit Madelon en s'apercevant du trouble d'Helmina, n'faut pas avoir honte ; faut toujours qu'ça vienne un jour ; « par guenne », va, j'étais ben plus jeune que toi, moi, et j'avais déjà des « farauds » ; oh dame, par exemple, j'avais de « l'atout », d'la « manigance » ; épi, j'étais assez jolie dans c'temps-là. Voyons, lis-moi ça, ma belle.

— Julienne vous la lira mieux que moi.

Julienne lut ce qui suit :

À ma chère Helmina…

— Hein ! c'est chaud ! c'est chaud ! dit Madelon.

> *J'ose espérer que vous ne rejetterez pas ce léger souvenir d'un homme qui vous adore et qui n'aspire qu'au moment de vous prouver d'une manière plus sensible l'amour que vos charmes ont glissé dans son cœur. S'il m'étais permis de lire dans l'avenir, si je pouvais, sans témérité et sans blesser votre délicatesse, porter mes regards dans les replis secrets de votre pensée, aurais-je le bonheur d'y découvrir quelque faveur, quelque inclination à mon égard ? J'ai en moi le*

sentiment intime, quoique peu fondé, que vous daignerez au moins me faire parvenir quelques-unes de ces paroles si douces et si expressives dont j'ai ressenti tout dernièrement l'influence.

Tout à vous,

Stéphane D…

— Ah ben, en v'la pourtant une lettre à mon goût, s'écria Madelon en frappant du plat de sa main sur l'épaule d'Helmina. Sainte Anne du bon Dieu, comme c'est bien tourné ! Mais ça dit dedans qu'vous avez reçu queuque chose, il m'semble, hein ?

Helmina lui passa la boucle de cheveux.

— Tiens, c't'idée ! avez-vous vu c'coup ! Oh ! p'tit Jésus ! dit Madelon en examinant avec une scrupuleuse attention ; justement les cheveux du défunt p'tit Pierre, mon p'tit garçon ; mais c'est frappant ! Dieu des bons anges ! les beaux cheveux ! Écoutez donc, ma fille, vous devez être fière comme une reine au moins d'avoir un « merle » aussi futé qu'ça.

Helmina ne répondit rien.

— Écoutez-moi, Helmina, il faudra placer ces cheveux dans un p'tit cadre, faut garder ça ; pas vrai, Julienne ?

— Je suppose.

— J'aimerais mieux les brûler, dit Helmina en pleurant.

— Pourquoi donc ?

— Parce que si mon père…

— On l'ramènera à la raison, l'bonhomme, faut qu'il change.

— Jamais, Madelon !

— Jamais… ah ben, nous verrons, dit Madelon avec impatience ; j'vas lui parler au « dret » du visage, moi ; ça serait ben curieux par exemple, s'il n'entendait pas l'bon sens des choses. Allons, mes p'tites filles, plus d'chagrin, on va souper. Mais voyez donc un peu comme Maurice est longtemps ; l'infâme est damnant, sur mon âme… Approchez, approchez, il mangera après les autres… pourvu qu'il vienne, encore, ça s'ra beau… Et Madelon commença à manger avec un appétit dévorant.

— Tiens, un éclair, dit Julienne en se signant.

— Ah ! oui, j'avons de l'orage, dit Madelon en l'imitant ; c'est sûr que mon « man » va coucher en chemin. Mais mange donc, Helmina, faut qu'tu manges pour rester belle ; si ton « faraud » allait te trouver maigre, ça n's'rait pas drôle ; oui, mange donc…

— Il fera moins de dépenses, dit Helmina en s'efforçant de prendre le ton de la plaisanterie.

— C't'idée, dit Madelon en riant à gorge déployée. Allons, Julienne, puisqu'on ne mange plus, ôtons la table. On va s'coucher de bonne heure ce soir ; quand il tonne comme ça, moi, j'aime mieux être dans le lit ; on dit qu'il y a moins de danger.

Une demi-heure après, Madelon priait au pied de son lit. Helmina et Julienne s'étaient retirées dans leur chambre et parlaient de la journée qui venaient de s'écouler.

Il était dix heures lorsqu'elles se mirent au lit ; Julienne ne tarda pas à sommeiller. Helmina dormit aussi ; mais ce fut un sommeil convulsif, un rêve horrible. Tout entière à son amour, à ses réflexions pénibles, elle s'était endormie en prononçant le nom de son amant et en caressant la lettre qu'il lui avait envoyée.

Alors l'amour, toujours inexorable pour ses victimes, lui donna un de ces rêves entremêlés de jouissance et de douleur, un de ces rêves qui, en se formant dans une imagination aussi vaste et aussi exaltée que celle d'Helmina, semblent laisser dans l'esprit les traces d'une réalité effrayante.

Helmina se crut transportée sur les bords d'une charmante petite rivière où elle soupirait tendrement la mélodie ordinaire des amants. Puis tout à coup, ayant porté les yeux sur la rive opposée, elle aperçut Stéphane qui l'appelait et lui tendait les bras. Et elle lui montrait de sa main l'abîme qui les séparait. Alors elle vit Stéphane se précipiter dans les ondes, lutter contre le courant des rapides et venir enfin se reposer à ses genoux…

Mais tout à coup un nuage noir se forma un peu plus haut que la cime des sapins, s'abaissa lentement sur le rivage, s'élança avec rapidité sur la surface de l'eau et vint planer sur les deux amants.

— L'orage, disait Helmina, mon Dieu, déjà l'orage !

Puis elle crut entendre une voix qui partait du nuage et qui lui répéta :

— L'orage, Helmina, gare à toi !

Et Stéphane s'écria :

— Ne crains rien, Helmina, il n'y a jamais d'orage pour les amants !…

Aussitôt le nuage descendit entre eux deux, se dissipa, et un homme parut.

Il se jeta sur Stéphane et Helmina vit tomber son amant ; elle voulut le relever.

— Arrête, lui dit le monstre, arrête, jeune fille…

Elle reconnut son père.

Et maître Jacques l'accabla de menaces et d'injures ; et elle se sentit tout à coup enlever du rivage et transporter dans un noir cachot ; puis un éclair jaillit, elle crut que c'était une arme à feu ; elle s'éveilla en sursaut, et le roulement du tonnerre qu'elle entendit en même temps contribua à la fortifier dans sa terreur. Un tremblement nerveux s'empara d'elle ; elle se crut réellement sous la domination des esprits, sous le sceptre d'un tyran.

Ô Helmina, tu n'as point fait de rêve ; ton imagination ne t'a rien exagéré cette fois !…

Tout à coup elle entendit un bruit sourd de pas précipités autour de la maison ; puis un murmure de voix étouffées ; un frôlement ménagé, un cliquetis d'armes. Elle se leva doucement puis, gagnant le lit de Julienne :

— Julienne, dit-elle en l'éveillant, entends-tu ?

— Quoi, Helmina ?

— Entends-tu ? répéta Helmina en tremblant.

— Mais non, je n'entends rien.

— Écoute : ils approchent…

— Oh ! mon Dieu, dit Julienne en se mettant sur son séant…

— Ce sont des brigands, Julienne ; qu'allons-nous faire ? de pauvres femmes seules !…

—Ils approchent encore !… Seigneur, ayez pitié de nous !… Éveillons Madelon.

Et Helmina courut à son lit.

— Madelon, des brigands, dit Helmina en lui tirant le bras.

— Tiens, tiens, dit Madelon en bâillant, allez donc, hein, c'est l'vent.

— Non, Madelon, j'vous assure, j'ai entendu marcher et parler.

— Ah ! ben dame, si vous l'avez dans votre tête.

Et Madelon se leva tout endormie et renversa une chaise avec violence.

Puis il y eut un silence terrible au-dedans et au-dehors.

Les brigands étaient immobiles comme des statues.

— Ils sont éveillés, mille damnations, dit Lampsac ; il faut les laisser recoucher.

— Oui, ça s'ra mieux, dit Bouleau, il vaut toujours mieux faire les choses sans fracas.

— Et sans danger, n'est-ce pas ? flandrin de poltron, dit Mouflard avec un air de plaisanterie offensante.

— Silence, pendards de « va-nu-pieds », ou je vous brûle, dit maître Jacques, qui s'était masqué et déguisé horriblement afin de pouvoir être présent à l'affaire sans être reconnu.

— Vous voyez ben qu'vous vous êtes trompées, peureuses, dit Madelon en se remettant au lit.

— Oh ! oui, dit Julienne, ce n'est rien.

Helmina, quoique peu rassurée, fut obligée de faire comme elles ; mais elle ne dormit pas.

— Les voilà endormies encore une fois, dit maître Jacques à voix basse, écoutez-moi. Aussitôt que la porte sera enfoncée, Bouleau et Mouflard s'empareront chacun de leur brassée ; et toi, Lampsac, tu feras semblant de retenir Maurice, car lui aussi jouera son rôle avec nous ; mais si par hasard tu t'apercevais qu'il veut le jouer tout de bon, c'est-à-dire faire le métier de traître, fais-lui goûter de tes « dragées ». Quant à Madelon, je m'en charge ; allons, êtes-vous prêts ?

Les brigands firent un signe affirmatif.

Arriver sur le perron, enfoncer la porte et empoigner les jeunes filles fut l'affaire d'un instant ; tellement que Madelon crut en être quitte pour avoir été serrée, un peu brutalement à la vérité.

Aussitôt que les voleurs furent partis, elle appela Helmina et Julienne... Point de réponse !...

Elle se leva, alluma sa lampe et, gagnant leur chambre, elle trouva les lits vides... les jeunes filles n'y étaient plus.

À cette vue la pauvre Madelon se sentit s'écraser malgré elle, et tomba à la renverse sur le parquet... Elle était évanouie...

Les brigands s'étaient déjà rendus à l'entrée du bois du Cap-Rouge ; ils avaient déposé pour un instant leur fardeau sur les feuilles.

Helmina était muette et inactive ; pas une parole, pas une larme.

Sa malheureuse compagne Julienne poussait, par intervalles, des sanglots entrecoupés, et murmurait des plaintes si touchantes que les brigands, tout insensibles et inhumains qu'ils étaient, ne pouvaient s'empêcher d'en être touchés. Bouleau, surtout, le plus sensible des quatre, était tellement ému que, sans la crainte d'une mort inévitable et certaine, il les aurait mises en liberté.

— Tiens, Mouflard, disait-il tout bas en lui frappant sur l'épaule, je n'ai pas coutume de faire cas des larmes, eh ben, que l'diable me « tarabuste », ça m'bouleverse le corps et l'esprit tout ensemble de voir ces pauvres p'tites « criatures » pleurer comme ça.

Mouflard ne répondit rien.

— Allons, allons, mes enfants, dit Lampsac en s'efforçant de diminuer sa grosse voix, ne pleurez pas tant, ou que Satan m'épouvante, ça va aller mal.

— Où nous menez-vous donc, barbares ? dit Julienne ; avons-nous mérité ce que vous nous faites ?

— Silence, jeune fille, dit Lampsac, vous avez bien à vous plaindre vraiment ; vous n'avez pas mis pied à terre, et puis vous allez être nourries, hébergées sans rien faire.

Julienne se tut.

Maître Jacques ne disait rien, sa voix pouvait le trahir.

— Allons, mes « jars », dit Lampsac, en route !

— Attendez donc, dit Bouleau, mille bombes, j'suis fatigué en diable ; j'sue comme un bourreau.

— Oh ! le vilain flandrin ! dit Lampsac.

— Nous marcherons, dit Julienne qui, malgré le mépris et la haine qu'elle avait pour ses ravisseurs, ne pouvait fermer son cœur à un reste de pitié, et dédaignait de se faire porter plus longtemps par des misérables de cette espèce ; nous marcherons, n'est-ce pas, Helmina ?

— N'as-tu pas honte, Bouleau ? dit Mouflard avec son ironie ordinaire.

— Va au diable, impitoyable bavard, dit Bouleau en serrant les dents.

Lampsac alluma une lanterne et battit la marche. Après lui venaient Helmina et Julienne suivies de Mouflard, de Bouleau et de maître Jacques, qui marchait le dernier.

Il est impossible de donner une idée de l'impression terrible que dut faire sur l'esprit des jeunes filles cette marche horrible dans des sentier tortueux, à travers les ténèbres d'un bois aussi redouté que le Cap-Rouge, à la lueur des éclairs, au bruit du tonnerre, et au milieu d'une troupe de brigands impitoyables qui proféraient à tout moment, dans leur langue diabolique, les plus horribles jurements, les blasphèmes les plus dégoûtants.

Après avoir parcouru la moitié du bois, ils prirent un sentier qui faisait un angle droit avec le premier et qui conduisait sur la pente du cap ; puis, au bout d'une dizaine d'arpents, ils descendirent dans une espèce de cavité pratiquée dans la pierre et, après avoir écarté quelques branches vertes et quelques troncs d'arbres, ils firent sauter une trappe, descendirent trois ou quatre degrés et se trouvèrent dans un carré irrégulier tout tapissé de mousse et éclairé seulement par des trous de tarière percés de distance en distance dans la voûte du souterrain. C'était la Caverne du Roc, où devraient vivre Helmina et Julienne. Lampsac alluma trois lampes de cuivre doré suspendues à la voûte, et après avoir montré aux jeunes filles une armoire remplie de mets de toutes sortes, il se retira avec Bouleau et Mouflard.

Cette fois maître Jacques n'était pas entré.

Aussitôt qu'ils furent sortis, Helmina ne put maîtriser plus longtemps sa douleur ; elle se mit à pleurer et remplir la caverne de ses cris et de plaintes. Julienne essaya vainement de la consoler ; Julienne avait elle-même trop besoin de consolation pour pouvoir en offrir aux autres. Elles pleuraient encore lorsqu'elles virent le jour percer faiblement à travers les misérables ouvertures de leur cachot et faire pâlir un peu la lumière des lampes. Julienne fit deux ou trois tours dans le souterrain, ouvrit l'armoire et prit quelques bouchées à la hâte, plutôt par nécessité que par goût, puis elle vint s'asseoir près de son amie.

— Que va faire la pauvre Madelon, mon Dieu, lorsqu'elle va se trouver seule ? dit Julienne.

— Et lorsque mon père lui demandera sa fille ? ajouta Helmina. Quel infâme dessein peuvent avoir ces misérables ?

— Nous ne l'apprendrons peut-être que trop un jour, ma chère Helmina...

Cette première journée de leur captivité, la plus terrible sans doute, se passa dans les pleurs et le désespoir.

XII

UNE ENTREVUE TERRIBLE

Le jour était sur le point de finir ; la nuit était déjà commencée dans la Caverne du Roc, et les jeunes filles se disposaient à ensevelir, si cela se pouvait, leur douleur dans le repos, lorsqu'elles entendirent en tressaillant des pas au-dessus de leur tête ; bientôt après, elles virent paraître Mouflard qui venait allumer les lampes.

— Il y a, dit-il, à votre porte, un homme qui désirerait vous parler ; préparez-vous à sa visite.

— Qu'il entre, dit Julienne avec un dédain énergique ; puisse-t-il être le bourreau qui terminera notre malheureuse existence !

Mouflard sortit puis, ouvrant la porte une seconde fois : — Entrez, dit-il, puisque vous avez la permission ; mais gare à vous !

C'était maître Jacques.

— Ô mon père ! dit Helmina en courant à lui.

— Ô Helmina ! dit maître Jacques avec une tendresse hypocrite, dans quel cachot te vois-je enfermée !... et vous aussi, pauvre Julienne...

Il versa des larmes feintes.

— Comment avez-vous pu découvrir notre retraite ?

— Je te le dirai plus tard, Helmina, dit maître Jacques pour éviter d'autres questions qui auraient pu le trahir ; aujourd'hui j'ai quelque chose de plus sérieux à t'apprendre, un secret plus intéressant à te dévoiler.

— Que dites-vous, mon père ?

— Écoute, Helmina ; ne me donne plus ce nom...

— Ô mon Dieu, dit Helmina à demi-voix, il me renie pour sa fille ! qu'ai-je donc fait pour mériter tant de châtiments à la fois ? Ô mon père… non jamais je ne pourrai vous appeler autrement… mon père, mon père !…

— Helmina, te dis-je, je ne suis point ton père.

— Ciel ! tu l'entends, Julienne, il me renie encore une fois.

— Mais écoute donc, dit maître Jacques avec un mouvement d'impatience, que diable ! écoute donc. Tiens, ajouta-t-il, en lui passant un papier, voici une lettre de celui qui fut véritablement l'auteur de tes jours ; il me l'a écrite deux jours avant sa mort.

— Jamais je ne le croirai, non jamais !

— Mais il faut que tu le croies, puisque c'est la vérité. J'ai voulu jusqu'à présent recevoir de toi ce doux titre, parce que je savais qu'en même temps tu me témoignerais plus de respect, plus d'obéissance ; mais aujourd'hui, Helmina, qu'il s'agit de ton avenir, je dois t'apprendre le nom et les intentions de ton véritable père à ton égard ; lis cette lettre.

Helmina prit la lettre et après l'avoir lue attentivement :

— Est-il possible, dit-elle, que vous ne me trompez pas ?

— Me crois-tu capable de le faire ?

— Seigneur ! qui l'aurait pensé ?

— Tu as dû remarquer sur cette lettre, continua maître Jacques, que ton père m'a donné le pouvoir de disposer à ton égard comme je l'entendrais. Te voilà d'âge maintenant à penser sérieusement à l'avenir, à une union, par exemple.

Helmina rougit.

— Si jusqu'aujourd'hui je t'ai parlé avec désavantage du mariage, ne crois pas que je parlais suivant mon cœur. Non Helmina ; j'en agissais ainsi parce que j'étais bien persuadé que l'amour entre bien assez vite sans qu'on le précipite dans le cœur d'une jeune fille comme toi.

Helmina conçut une faible espérance en voyant maître Jacques tellement changé ; mais se rappelant aussitôt la situation où elle était :

— Comment voulez-vous donc, dit-elle en rougissant, que je pense à mon avenir dans ce cachot ?

— Tu en sortiras, Helmina, je me plaindrai à la justice ; les misérables ! il faudra bien qu'ils te délivrent.

— Merci, merci, mon père... monsieur... je ne sais comment vous appeler à présent, dit Helmina avec embarras.

— Ô Helmina ! dit maître Jacques en se jetant à ses genoux avec le sentiment d'une passion brutale et en cessant de la tutoyer ; si vous ne pouvez plus me donner le nom de père, il en est un autre bien plus beau, bien plus expressif auquel je peux aspirer et que vous pouvez me donner.

Et maître Jacques lui prit la main et la serra contre son cœur.

— Que voulez-vous dire, monsieur ? dit Helmina en retirant sa main.

— Oui, Helmina, continua maître Jacques, je me croirais le plus heureux des hommes si, à la suite de cette amitié que vous m'avez toujours témoignée et que j'ai essayé de mériter, vous mettiez le comble à votre bonté en m'accordant à présent votre amour, en me donnant le nom d'époux.

— Que dit-il, Julienne, dit Helmina foudroyée par ces dernières paroles, que dit-il ?

— Je dis, reprit maître Jacques sur le même ton, que je serais le plus fortuné des époux si j'avais pour épouse un ange comme vous, une jeune fille aussi belle, aussi tendre et aussi vertueuse que vous. Je dis que, pour faire le bonheur d'une épouse comme vous, je n'épargnerais rien, rien au monde.

— Mon Dieu, dit Helmina, que faire ?

— Que faire ? oh ! Helmina, dites-moi que vous m'aimez, que vous serez ma fiancée. Dites-le-moi, aimable fille, je vous en conjure, et je ferai tout pour vous.

Et maître Jacques voulut s'appuyer la tête sur ses genoux ; Helmina se leva en le repoussant.

— Est-ce pour abuser de ma position, monsieur, dit-elle avec un air imposant, que vous… ?

— Non, Helmina, non, mais je vous aime…

— Eh bien, dit Helmina en prenant un sang-froid et un ton de sévérité qui ne lui étaient pas naturels, sachez que je ne puis vous aimer, moi.

— Ingrate, dit maître Jacques en changeant de ton et en versant des larmes, ingrate, vous oubliez donc tout ce que j'ai fait pour vous ; vous oubliez que vous me devez tout ? Mais que dis-je ? non, Helmina, votre cœur n'est pas capable d'ingratitude ; jamais je ne pourrai le croire.

— Écoutez, monsieur, dit Helmina touchée jusqu'aux larmes, ma reconnaissance pour vous est sans bornes, je crois vous l'avoir prouvé plus d'une fois et je suis prête à le faire encore ; mais quant à cet amour que vous réclamez, monsieur, encore une fois, mon cœur s'y refuse et s'y refusera toujours.

— Et moi, dit maître Jacques en prenant un dernier moyen de la toucher, je ne pourrai jamais en aimer d'autres que vous. Vous me refusez ; adieu donc, Helmina, adieu, vous ne me reverrez jamais, jamais, entendez-vous ?

— De grâce, monsieur, ne m'accablez pas, dit Helmina en versant un torrent de larmes, je vous le répète, je ne puis vous aimer… j'aime déjà.

Puis, tirant la lettre de Stéphane et la présentant à maître Jacques :

— Lisez, monsieur, dit-elle, puisqu'il faut tout vous avouer.

— Voilà donc ce que je devais craindre, dit maître Jacques en se relevant tout à coup et en reprenant sa férocité habituelle, un rival ! Mille malédictions ! un rival ! Je devais m'y attendre ; mais… ajouta-t-il en faisant trembler sa voix et en déchirant la lettre, il périra ce rival, dussé-je périr avec lui ! Puis, jetant sur Helmina des regards farouches : Helmina, lui dit-il, fille ingrate, fille dénaturée, répétez-moi que vous ne pouvez pas m'aimer, que vous l'aimez encore, répétez-le-moi, et je n'insiste plus.

— Je le répète, dit Helmina en essuyant ses larmes et en passant de la pitié au mépris et au courage le plus héroïque contre maître Jacques.

— Fort bien, jeune fille, dit-il en grinçant des dents, fort bien. Et moi, je le répète aussi, votre amant mourra de ma main ; et vous, mademoiselle, vous ne sortirez jamais d'ici. Sachez que c'est moi qui vous ai fait conduire dans ce cachot pour vous enlever à mon rival, et soyez persuadée que vous y demeurerez tant que vous persisterez dans votre fol entêtement.

— Vous ! dit Helmina ; mais qui êtes-vous donc ?

— Je suis le chef des brigands.

— Misérable ! dit Helmina incapable de maîtriser plus longtemps son indignation, et vous me croyez assez vile, assez infâme moi-même pour m'unir avec un brigand comme vous ? Jamais, maître Jacques, jamais, monstre !…

Maître Jacques écumait de rage.

— Qui l'aurait pensé ? un brigand ! Celui que j'ai si longtemps appelé mon père, celui qui paraissait si digne de porter ce nom respectable… le monstre !…

—Le monstre ! répéta Julienne aussi exaspérée que son amie.

— Ah çà, jeunes filles, je vous ordonne de vous taire.

— Tu es un monstre, répéta Helmina, je te le répéterai toujours ; je ne crains point de vengeance, prends ma vie, elle m'est à charge depuis qu'elle dépend d'un scélérat de ton espèce.

Maître Jacques s'arrachait les cheveux, se ruait sur les pierres avec frénésie ; puis s'arrêtant tout à coup et pour tâcher de mortifier la jeune fille :

— Helmina, lui dit-il, cette lettre que tu as vue, je l'ai feinte ; ton père est encore vivant, peut-être est-il arrivé en ce moment dans cette ville ; mais tu mourras sans le voir.

— Tu mens, infâme brigand, tu mens, dit Helmina.

— Tais-toi, fille impudente, je te dis que ton père vit encore, et, si tu pousses ma fureur à bout, je t'emporterai dans quelques jours sa tête sanglante.

Helmina commençait à croire.

— Écoute, dit-elle, que me demandes-tu pour que je le voie ?

— Ton amour.

— Mon Dieu ! mon Dieu ! dit Helmina, toujours cela.

Puis elle commença à pleurer.

— Ah ! ah ! jeune fille, dit maître Jacques avec une satisfaction d'enfer, tu veux me résister, mais tu le paieras cher ; penses-y bien.

Puis il fit semblant de partir.

— Attendez un peu, cruel, dit Julienne en tombant à ses genoux, pitié, pitié pour de pauvres enfants comme nous. Nous sommes incapables de te nuire ; laisse-nous aller en liberté, et nous jurerons de ne jamais dévoiler l'ignoble mystère que tu viens de nous expliquer.

Maître Jacques jeta un éclat de rire sardonique.

— Y penses-tu, jeune fille, pour qui me prends-tu ?

— Pour un homme qui n'a pas encore éteint toute sensibilité dans son cœur, continua Julienne en lui prenant la main et en l'arrosant de larmes. Oh ! j'en suis persuadée, monsieur, vous ne rejetterez pas plus longtemps la prière de pauvres filles que vous avez paru tant aimer jusqu'aujourd'hui. Consentez au moins à ce que nous retournions chez Madelon.

— Jeune fille, dit maître Jacques, ma résolution est prise ; ne pense pas me fléchir par tes lamentations et tes larmes ; ce que je n'ai pu obtenir de cette jeune impudente, dit-il en montrant Helmina, ne crois pas l'obtenir de moi. J'ai essayé tous les moyens, les pleurs, les menaces, les supplications, les promesses, elle a tout rejeté. Eh bien, je me jouerai pareillement de toutes ressources que vous prendrez pour faire changer mes sentiments. Non, Julienne, jamais tu n'obtiendras rien de moi. Je puis être sensible encore, mais jamais contre mes plus chers intérêts ; j'aime Helmina, je l'aime et j'ai droit à son amour plus que tout autre ; elle s'y refuse, et tu crois que je serais assez étourdi, assez insensé pour abandonner tout à coup cette affection que je lui promettais, que j'ai caressée si longtemps dans mon esprit, pour la livrer à un rival que je hais, que je maudis ? Ah ! jeune fille, tu ne me connais pas ! Encore une fois, n'espère jamais me fléchir.

— Mais son père, monsieur, son père... qu'allez-vous lui dire, car il vous redemandera sa fille sans doute ?

— Je lui dirai que sa fille a été enlevée, et si je le vois disposé à tout tenter pour me démasquer, voilà ce que j'emploierai pour arrêter ses poursuites, dit maître Jacques en montrant un pistolet pendu à sa ceinture. Si, au contraire, cette jeune entêtée me voulait pour son époux, alors, Julienne, j'abandonnerais pour toujours le « métier de brigand » ; je la demanderais à père, et je vivrais avec elle du fruit de mes épargnes...

— De tes épargnes, monstre ! s'écria Helmina qui, entendant ces derniers mots, sentit renaître sa noble fureur, de tes épargnes, infâme ! Peux-tu appeler ainsi ce que l'enfer te fera payer si cher un jour... qui n'est peut-être pas éloigné.

Maître Jacques trembla malgré lui puis, reprenant aussitôt sa fermeté diabolique :

— Tu l'entends, Julienne, mille damnations ! tu le vois, elle méprise tout ce que je lui propose. Eh bien ! Helmina, que l'enfer se déchaîne contre moi, que le ciel m'accable du poids de sa vengeance ! Mais toi, je te le répète, tu mourras ici.

Puis, se tournant du côté de la porte :

— Lampsac ! Mouflard, s'écria-t-il, ici, esclaves de mes volontés !...

Et les deux brigands entrèrent armés de toutes pièces, et vinrent courber la tête devant leur chef.

— Voici, dit maître Jacques, deux misérables filles que je mets sous vos charges ; elles doivent apprendre ce que c'est que de me résister.

Les brigands saisirent la détente de leurs pistolets.

— Arrêtez, brigands, leur dit-il, une mort si prompte leur serait trop douce : elles mourront de faim...

Maître Jacques fixa Helmina pour voir quelle impression cette sentence avait faite sur elle ; puis, remarquant que la jeune fille conservait son dédain et son énergie :

— Je vous défends, ajouta-t-il, de laisser entrer qui que ce soit ici ; vous ôterez ces lampes ; vous fermerez toutes les ouvertures et vous les enchaînerez ; je veux être obéi, m'entendez-vous ?

Les brigands sortirent en faisant un signe de soumission.

— Il est encore temps, Helmina, dit maître Jacques d'un ton moitié affectueux, moitié sévère ; persistez-vous dans votre résolution ?

Pour toute réponse Helmina lui lança un regard de mépris héroïque.

Maître Jacques sortit en grinçant des dents et en faisant des serments épouvantables.

Aussitôt après les jeunes filles entendirent sur la voûte de la caverne un bruit de pas sourds ; c'étaient les brigands qui bouchaient alternativement toutes les ouvertures ; en dix minutes, elles se trouvèrent dans l'obscurité la plus complète.

Puis elles se mirent à genoux et adressèrent à l'Éternel la prière des captifs ; puis elles s'endormirent en priant, et ce fut un rêve du ciel.

Elles virent un ange étincelant descendre au milieu d'elles ; la lumière qu'il répandait semblait embraser la caverne.

Et l'ange leur dit :

« Vierges captives, le Seigneur a entendu votre prière ; et l'encens de votre vertu a traversé les nuages épais de la voûte céleste, et s'est répandu autour du trône de Jésus comme une odeur de myrrhe et d'ambroisie. Et le Seigneur, ayant abaissé les yeux sur la terre, a dit des paroles qui ont réjoui les anges : "Bénies soient les vierges du Canada qui gémissent dans les ténèbres pour la vertu et la religion." »

Et les intelligences célestes ont répété en chœur : « Bénies soient les vierges du Canada qui gémissent dans les ténèbres pour la vertu et la religion. »

Puis les jeunes filles entendirent en même temps la harpe de David et les mélodies des anges.

Et l'ange, joignant ses deux mains et les séparant aussitôt, ouvrit la caverne, et Helmina vit paraître son père et son amant qui lui tendaient les bras.

Et l'ange remonta au ciel, et le concert céleste recommença. Puis un autel s'éleva sur le gazon, et le prêtre bénit Helmina et son fiancé !…

Puis elle aperçut dans le lointain un gibet sanglant ; elle détourna les yeux et les porta sur l'avenir qui venait de se dérouler devant elle : c'était un avenir de délices et de bonheur.

Puis tout disparut comme un rêve et Helmina s'endormit paisiblement.

XIII

PLAINTES DE L'AMOUR – CONFESSION

« Le soleil va disparaître, Stéphane ; allons sous les peupliers de l'Esplanade, rêver à l'amour infortuné. Viens, trop malheureux ami, viens à l'ombre du crépuscule, au murmure de l'oiseau plaintif, du zéphyr caressant, t'entretenir sur les rêves du jeune âge, les hasards de la vie !… »

Et Émile pressait le bras de Stéphane ; et tous deux suivaient lentement la rue Saint-Louis dans un morne silence.

Arrivés à la balustrade qui avoisine l'église de la congrégation, Stéphane s'arrêta tout à coup, et s'appuya sur la barrière qu'ils devaient franchir. Une voix angélique venait de le frapper : c'était celle d'une jeune et tendre vierge qui mêlait aux accords du piano la mélodie de ses chants passionnés et douloureux. Elle chantait la romance si expressive :

Ce que je désire et que j'aime,
C'est encore toi…

— Entendez-vous, Émile ?… dit Stéphane… Ô jeune fille, que ta voix soit bénie !… Et moi aussi pourtant je pourrais chanter :

Ce que je désire et que j'aime,
C'est encore toi…

Ô Helmina !… Oui, c'est encore toi que je désire, toujours toi !… seulement toi !…

Et Émile entraîna Stéphane sur la terrasse de l'Esplanade ; et tous deux se laissèrent tomber sur le gazon.

Il y eut un silence de quelques minutes.

— Jusqu'à quand, Stéphane, vous abandonnerez-vous donc à un chagrin sans espoir ?

— Tant que le soleil luira sur mon existence, Émile, il luira sur mon chagrin ; n'essayez plus à le chasser de mon cœur ; je mourrais trop tôt sans lui !...

—Pauvre ami ! dit Émile en prenant sa main brûlante et en la serrant dans les siennes... vous pleurerez donc toujours !...

—Toujours, Émile, toujours !... Helmina ! Helmina ! s'écria-t-il d'une voix mourante, comment t'oublier aujourd'hui ? Comment effacer de mon esprit cette douce impression que tu y as laissée... comment ne pas se rappeler ton sourire si divin... ta voix si mélodieuse... tes charmes... ta pureté ?... Oh ! Émile, quand votre cœur se sera ouvert au bonheur des amants... alors vous direz comme moi... toujours aimer, ou toujours pleurer... Toujours pleurer... point d'alternative... toujours des larmes !... toujours souffrir... jamais jouir !... voilà mon sort !...

Et Stéphane s'appuya la tête sur les genoux d'Émile qu'il arrosa de ses larmes.

Puis il y eut encore un silence parfait qui n'était troublé que par la brise du soir.

— Mon cher Stéphane, dit Émile d'un air inspiré, voulez-vous m'écouter ?

— Parlez, Émile, je suis toujours disposé à vous écouter.

— Eh bien ! il est encore un moyen pour vous d'épouser Helmina.

— De grâce, Émile, ne badinez pas ainsi.

— Je parle sérieusement.

— Si c'était vrai !

— Vrai comme Dieu existe. Vous êtes certain d'abord qu'Helmina est vertueuse ?

— Je le jurerais sur mon âme… c'est un ange qu'Helmina !

— Voilà tout ce que je veux savoir ; maintenant mon parti est pris.

— Qu'allez-vous faire, Émile ?

— Vous le saurez plus tard.

— Prenez garde… oh ! prenez garde.

— Ne craignez rien.

Émile reconduisit Stéphane jusque chez lui et reprit la rue Saint-Louis. En détournant le coin de la rue Sainte-Ursule, il se rencontra face à face avec deux hommes dont l'un ne lui était pas inconnu : c'était Maurice.

— Ah ben, que l'bon Dieu m'bénisse ! dit Maurice, v'là une rencontre qui vient comme les cheveux sur la soupe ; mais n'importe, t'nez, après tout j'cré qu'ça n'sera pas mauvais. Ah çà, monsieur, ajouta-t-il en s'adressant à Émile, voulez-vous nous suivre ?

— Pourquoi, s'il vous plaît ?

— Dame, pourquoi, vous l'saurez dans un instant ; tout c'que j'peux dire à présent, c'est qu'vous n'en aurez pas de r'gret.

— Il m'en a dit tout autant qu'à vous, dit l'inconnu, qui n'était autre que M. des Lauriers.

Après avoir détourné ensemble trois ou quatre rues, Maurice s'arrêta devant une petite maison d'assez chétive apparence, que ses compagnons ne tardèrent pas à prendre pour une auberge de la dernière qualité. Après avoir monté un escalier, ils se trouvèrent dans une chambre toute tapissée dont Maurice ferma bien soigneusement la porte et les fenêtres ; et comme il s'aperçut que ces précautions minutieuses commençaient à le rendre passablement suspect :

— Ne craignez rien, messieurs, leur dit-il à demivoix, c'est que j'ai des secrets que personne autre que vous ne doit entendre.

Puis, ayant retiré de sa poche une lettre pliée en tout sens :

— Reconnaissez-vous ce papier ? dit-il en s'adressant à M. des Lauriers.

— Que veut dire ceci, monsieur ? connaîtriez-vous monsieur…

— Ne nommez personne à présent.

— De grâce, dites-moi où il demeure, voilà deux jours que je le cherche. Et ma fille, monsieur, ma chère petite fille ?…

—Vous la reverrez, monsieur, elle vous sera rendue ; mais après que je vous aurai dévoilé un secret d'enfer, un mystère terrible ; mais après que vous aurez juré sur votre âme de l'ensevelir à jamais dans l'oubli.

— Je le jure, dit M. des Lauriers.

Maurice se leva et, après avoir ouvert une porte qui donnait dans un autre appartement :

— Avant de vous initier à ce mystère qui ne vous intéresse que secondairement, dit-il à Émile, j'aimerais à dire quelques mots à monsieur. Auriez-vous objection à passer dans cette chambre pour un instant ?

Émile ne savait que penser de cette foule de formalités, et de cette recherche d'expressions et de politesse dans un homme qu'il avait toujours vu, brusque et si grossier ; cependant il se rendit promptement à l'invitation de Maurice qui le reconduisit et ferma sur lui la porte à double tour de clef.

Cette dernière précaution prise, Maurice se plaça le plus près possible de M. des Lauriers, et demeura cinq minutes le front appuyé dans ses mains comme s'il eût voulu recueillir ses idées. Puis il se jeta tout à coup à ses genoux, les yeux remplis de larmes.

— Que faites-vous, mon ami ? dit M. des Lauriers en voulant le relever.

— Laissez-moi, monsieur, dit Maurice avec l'air d'un repentir sincère, vous voyez devant vous le plus criminel des hommes ; si votre fille gémit dans un cachot…

— Ma fille dans un cachot !…

—Oui, monsieur, et par ma faute.

— Misérable, dit M. des Lauriers en le repoussant, misérable !… et tu n'as pas honte de faire un pareil aveu devant son père ?… Va, scélérat, tu vas payer cela de ta tête, ajouta-t-il en voulant se retirer.

— Voilà donc l'effet de votre promesse ? dit Maurice en se relevant et en prenant un ton d'indignation douloureuse ; vous ne vous rappelez donc plus le serment que vous venez de faire ?

M. des Lauriers frémit.

— Parle donc, infâme ; je me tairai puisqu'il me faut t'écouter sans avoir le droit de te punir, mais je t'avertis qu'il me faut ma fille.

— Vous l'aurez, monsieur, je vous conduirai moi-même à la caverne où maître Jacques l'a enfermée.

— Maître Jacques, dites-vous ?

— Oui, maître Jacques, celui à qui vous l'avez confiée ; c'est un de ses moindres crimes !

— Mais quel homme est-ce donc ?

— Le chef des brigands du Cap-Rouge dont je fais partie.

— Lui !... vous !... dit M. des Lauriers en tremblant.

— Vous comprenez donc maintenant pourquoi je vous demandais grâce, dit Maurice en retombant aux pieds de M. des Lauriers ; pour l'amour de ce que vous avez de plus cher au monde, daignez me pardonner et me guider dans la nouvelle route que je veux suivre à l'avenir ; oui, j'en prends à témoin le Dieu que j'ai toujours méconnu jusqu'à présent, c'en est décidé, j'abandonne le crime !... Puis-je espérer, monsieur ? dites-le-moi.

— Si votre repentir est sincère, malheureux, je vous le promets, dit M. des Lauriers, vaincu par sa sensibilité. Mais, de grâce, hâtez-vous de me remettre dans les bras de mon Helmina, si toutefois elle a su au milieu du crime se conserver digne de son père.

— Elle l'est, monsieur, dit Maurice, soyez-en persuadé ; elle a été bien élevée ; ma femme est trop vertueuse elle-même.

— Votre femme, dites-vous ?

— Oui, c'est elle qui l'a instruite dans la religion, qu'elle a toujours pratiquée comme un ange.

— Pauvre Helmina !... Et comment ce misérable Jacques s'est-il comporté avec elle ?

— Il lui a toujours caché son genre de vie, et tant qu'il l'a regardée comme sa fille, il a agi avec elle en honnête homme ; mais aujourd'hui qu'il la regarde comme son amante...

— Son amante !... quelle indignité !

— C'est un amour désordonné, engendré par une infâme jalousie.

— Est-ce que ma fille aimerait quelqu'un ?

— Oui, un beau jeune homme des plus aimables ; justement l'ami du jeune monsieur qui est entré avec nous ; maître Jacques l'a appris, et craignant que cet amour ne vînt à avoir des suites funestes à ses affaires, il a fait transporter Helmina dans un souterrain, lui a avoué qu'il n'était pas son père et lui a demandé sa main. Elle a refusé entièrement.

— Quelle grandeur d'âme !

— Ce refus, continua Maurice, a tellement exaspéré maître Jacques, qu'il a juré à Helmina qu'elle mourrait dans son cachot. Et alors il lui a déclaré qu'il était le chef des brigands.

— Quel enchaînement d'infamies !... Mais comment aurait-il soutenu devant moi ?...

—Il avait l'intention de vous tromper en vous disant qu'Helmina avait été enlevée.

— Le scélérat !... et vous saviez tout cela, monsieur, et vous n'avez pas eu le courage de l'empêcher ?

— Je n'en ai pas eu la force ; maître Jacques a su se rendre si redoutable !... dit Maurice avec regret et confusion.

— Je vous le pardonne, dit M. des Lauriers, en considération de votre repentir et des aveux que vous venez de me faire ; de votre côté, j'exige que vous accomplissiez votre promesse et que vous me rendiez ma fille. Mais avant faites entrer ce monsieur qui est dans l'autre chambre et qui attend avec tant d'impatience ; je vais tout lui confier.

Maurice ouvrit la porte et introduisit Émile.

— Permettez-moi, monsieur, dit M. des Lauriers en allant au-devant de lui et en lui serrant la main amicalement, de vous faire une question qui vous paraîtra d'abord indiscrète : n'est-il pas vrai qu'un de vos amis, monsieur… Comment le nommez-vous, Maurice ?

— M. Stéphane, c'est le seul nom que je lui connaisse.

— Vous voulez parler de Stéphane D… ? demanda Émile.

— Stéphane D… ! dit M. des Lauriers avec surprise ; mais, mon Dieu, je connais son père comme mon « Pater », c'était un de mes meilleurs amis. N'est-il pas vrai que ce jeune homme est amoureux d'une fille nommée Helmina ?

— La question est pas mal indiscrète en effet, dit Émile avec réserve ; néanmoins, je vous dirai qu'il est vrai que M. Stéphane a aimé cette jeune fille jusqu'au moment où il a appris qu'elle était la fille d'un brigand.

— Il le sait ? dit Maurice ; qui le lui a donc appris ?

— Il ne l'aime donc plus à présent ? dit M. des Lauriers.

— Il lui faut l'abandonner nécessairement, quoiqu'il l'ait bien aimée.

— Pauvre jeune homme !… il est temps de le désabuser : allez donc dire à votre ami que la jeune fille qu'il aime est, non la fille de maître Jacques, mais bien la fille d'un des meilleurs amis de son père, M. des Lauriers.

— Vous, monsieur ? mais c'est impossible, dit Émile.

— Oui, moi ; et si vous en doutez, dit M. des Lauriers en lui présentant l'extrait de baptême d'Helmina, voici de quoi vous en convaincre.

— Quel heureux hasard ! Le pauvre Stéphane… il va en mourir de joie ; je me hâte de lui annoncer cette nouvelle, dit Émile en ouvrant la porte pour sortir.

— Attendez, monsieur, dit M. des Lauriers en le retenant, ne brusquons pas les choses ; réservez-moi le plaisir de la lui apprendre moi-même. Je vous prie donc de vous trouver demain à deux heures, rue des Jardins, avec M. Stéphane et son père, sans leur dire un mot de ce que vous venez d'entendre. Puis-je compter sur vous ?

— Je vous en donne ma parole la plus sacrée.

— Cela suffit.

Émile sortit.

— Maintenant, Maurice, êtes-vous prêt à remplir votre promesse ?

— Je ne l'ai pas oubliée, monsieur, mais je crois qu'il vaut mieux attendre à demain matin. La caverne est dans le bois du Cap-Rouge ; il serait dangereux de s'y risquer à l'heure qu'il est ; le jour, il n'y a rien à craindre, jamais les voleurs ne s'y tiennent.

— Et maître Jacques n'y fait pas de visites dans la journée ?

— C'est bien rare.

— En ce cas-là, dit M. des Lauriers, voici ce que nous allons faire : vous allez venir coucher avec moi et demain, à six heures au plus tard, il faut qu'Helmina soit délivrée. Après cela, il faudra trouver maître Jacques et l'emmener avec vous chez moi ; je veux voir de quel front il soutiendra l'examen que je lui ferai. Cela fait-il ?

— Parfaitement ; mais le coup, c'est d'attirer maître Jacques dans nos filets sans qu'il s'en doute ; cependant j'essaierai.

— Oui, oui, et je suis certain que vous réussirez. Oh ! mais j'oubliais… il faut que votre femme soit de la scène aussi.

— Comme vous voudrez ; vous avez envie, je vois bien, de faire un coup de théâtre.

XIV

LE BONHEUR VA COMMENCER

Un jour radieux va paraître. Cessez de gémir, Helmina et Julienne, pauvres jeunes filles qui n'avez soupiré jusqu'à présent que les plaintes de la mort et de la captivité ; le malheur ne doit pas toujours subsister ; l'orage ne peut pas toujours durer…

Assez longtemps vous avez pleuré dans les ténèbres d'une existence infortunée ; assez longtemps vos yeux se sont noyés dans les larmes, votre cœur s'est brisé dans la douleur ; voici le jour des consolations arrivé… l'orage ne peut pas toujours durer.

Le ciel est pur, le tonnerre ne gronde plus ; les vents furieux se sont enfuis, les nuages noirs se sont dispersés ; ne craignez plus… l'orage ne peut pas toujours durer…

N'entendez-vous pas au-dehors de votre cachot l'oiseau naguère plaintif qui gazouille l'hymne de la délivrance, le chant de l'hymen, le triomphe de l'amour constant ? N'entendez-vous pas au-dedans de vous-mêmes une voix mystérieuse qui vous répète souvent : Espérez… l'orage ne peut pas durer toujours…

Ô Helmina… ô Julienne, filles de prédilection, vierges chéries du ciel ; nous vous le répétons avec toute la nature : Espérez, le temps du bonheur va paraître ; car il est bien en nous aussi une voix qui nous dit : l'orage ne peut pas durer toujours…

Les jeunes filles venaient d'ouvrir les yeux à l'obscurité de leur prison, lorsqu'elles entendirent tout à coup le craquement lointain des branches et un bruit de pas précipités qui approchaient sensiblement ; puis, bientôt après, elles entendirent le murmure d'une conversation assez animée.

— Voilà une voix, dit Helmina en prêtant l'oreille, qui ne m'est pas tout à fait inconnue ; je puis assurer au moins que ce n'est pas celle de maître Jacques ; qu'en dites-vous, Julienne ?

— Ô mon Dieu ! s'écria Helmina en tremblant au bruit de deux coups de feu qui retentirent et allèrent se perdre lentement dans l'épaisseur du bois. Puis, aussitôt après, la porte s'ouvrit violemment, et deux hommes parurent.

— Que vois-je ? dit Helmina ; Maurice ! est-ce bien vous ?

Et elle tomba à ses genoux.

— Et toi, Julienne, tu ne me reconnais donc pas ? dit Julien en la serrant dans ses bras.

— Ciel ! mon père !... Je vous vois donc encore une fois avant de mourir... je ne demande plus rien, je mourrai contente...

— Tu ne mourras pas, ma chère fille ; tu vivras pour pardonner à ton malheureux père.

— Et vous aussi, pauvre Helmina, dit Maurice, vous vivrez pour m'inspirer votre vertu !

— Vous allez enfin être rendues à la liberté ; un bonheur sans bornes vous attend ; il y a déjà assez longtemps que nous risquons notre vie pour le crime, aujourd'hui nous devons la risquer pour le bien, pour arracher l'innocence des mains d'un brigand qui nous a malheureusement perdus, mais que nous haïssons.

— Que dites-vous, Maurice ? dit Helmina ; je ne vous comprends pas.

— Le temps est trop précieux pour que je vous détaille aujourd'hui cette malheureuse histoire, vous la connaîtrez plus tard ; qu'il me suffise de vous dire pour le moment que j'ai été le complice de maître Jacques, votre bourreau.

— Malheureux !

— Et vous mon père, dit Julienne, par quel hasard ?

— Complice aussi, dit Julien en se jetant aux genoux de sa fille… Pardon ! pardon pour nous deux ; le repentir a fait votre délivrance, j'espère qu'il fera le reste. Pardon, ma fille, grâce Helmina !… nous renonçons au crime.

— Parlez jeunes filles ; dites-nous que vous nous pardonnez, dit Maurice en pleurant ; hâtez-vous, Helmina ; il est à quelque distance de cette caverne un homme qui attend avec impatience l'heureux moment où il pourra vous presser dans ses bras.

— De qui voulez-vous parler ? dit Helmina avec précipitation ; mon Dieu, serait-ce encore quelque… ?

— Il n'y a plus de mystère, dit Maurice ; votre père, M. des Lauriers, vous attend à la sortie du bois.

— Mon père !… oh ! mais c'est un rêve… un rêve de bonheur ; mon père !… ah ! Maurice, vous vous jouez de ma sensibilité !…

— Sortons, dit Julien qui ne pouvait plus résister à ces émotions, sortons.

— Ô mon Dieu ! qu'est-ce que cela ? dit Helmina à la vue de deux cadavres sanglants étendus à la porte de la caverne, qu'elle reconnut pour ceux de Lampsac et de Mouflard ; qu'avez-vous fait ? un meurtre… horrible !…

— Non, Helmina, dit Maurice ; nous avons défendu notre vie contre eux ; les misérables ont voulu soutenir jusqu'à la fin leur scélératesse !

— Quelle mort ! dit Helmina… et quelles terribles suites… Que Dieu ait pitié de leurs âmes…

………………………………………………………………………………

Il y a quelques jours, Helmina traversait les mêmes sentiers qu'elle parcourt aujourd'hui ; mais alors c'était une marche pénible, affreuse ; elle allait à la mort, guidée par ses bourreaux, à présent elle court vers le bonheur ; ses pas sont légers, sa marche est aisée… l'espérance donne des ailes. Ce bois du Cap-Rouge qui lui avait paru si effrayant lui paraît aujourd'hui majestueux ; il n'est plus éclairé par la lueur rapide de l'éclair, mais par les rayons d'un soleil radieux qui commence à s'élever au-dessus de la cime des plus grands arbres ; elle n'y entend plus les jurements et les imprécations des brigands, mais le ramage d'une foule de petits oiseaux qui se bercent sur toutes les branches, et semblent vouloir partager son bonheur.

Helmina ne peut alors fermer son cœur à des sentiments de reconnaissance et d'admiration pour Dieu ; alors elle commence à croire et à répéter en elle-même cet adage du vieux temps : l'orage ne peut pas toujours durer…

— Est-il bien vrai, Maurice, dit Helmina, que vous ne m'avez pas trompée en me disant que j'allais retrouver mon père ? Hélas ! comment pourrais-je le croire ?

— Croyez-le, Helmina, vous êtes sur le point de le voir ; j'entends les branches qui plient : c'est lui.

En effet, M. des Lauriers, impatienté d'attendre et craignant qu'il ne fût arrivé quelque malheur, s'était avancé à une petite distance dans le bois. Maurice se mit à siffler, c'était le signal convenu pour se reconnaître ; M. des Lauriers parut et, se précipitant dans les bras d'Helmina :

— Ô ma chère petite fille, je te revois enfin ! s'écria-t-il avec joie.

— Ô mon père ! dit timidement Helmina.

Nous n'entreprendrons pas de peindre à nos lecteurs la scène touchante et expressive qui eut lieu alors dans le bois du Cap-Rouge. Ceux qui, comme M. des Lauriers, ont eu occasion de goûter le même bonheur conviendront avec nous qu'il n'est pas de paroles assez fortes, assez énergiques pour l'exprimer. De pareils moments donnés à un père, à une épouse, à un parent, à un ami quelconque et, généralement parlant, à l'amitié ou à l'amour, après une longue absence ou un retour inespéré, sont des délices, que le cœur seul pourrait dépeindre…

M. des Lauriers, après avoir donné le temps nécessaire à la manifestation de son amour paternel, fit monter Helmina avec lui dans une voiture qu'il avait emmenée, et disparut comme l'éclair, après avoir dit tout bas à Maurice de chercher maître Jacques et de l'emmener chez lui, comme il était convenu avec lui.

XV

TOUT EST DÉCOUVERT

Le temps s'écoule rapidement ; l'heure du rendez-vous est passée, et presque personne ne paraît encore dans le vaste salon où viennent d'entrer M. D..., Stéphane et Émile. Ils gardent tous trois un silence religieux et semblent, par leur contenance, être dans l'attente de quelque grand événement...

Enfin, la porte s'ouvre, M. des Lauriers entre et, saluant avec gravité, il gagne une large bergère placée dans le fond de l'appartement et penche la tête sur une longue table d'acajou qui est devant lui. Puis il y a encore quelques instants de silence.

Alors un jeune homme que personne n'a le temps d'examiner entrouvre la porte et fait un signal convenu à M. des Lauriers qui le suit et se retire en priant de l'attendre.

— Vous l'avez donc trouvé, Maurice ?

— Oui, monsieur ; il est dans l'antichambre.

— Merci. Tenez-vous prêt, je vais vous appeler dans l'instant.

Et il entra.

— Comment se porte M. des Lauriers ? dit maître Jacques avec familiarité et d'un air affable.

— Très bien, monsieur, dit M. des Lauriers en déguisant son indignation.

— Vous venez sans doute, comme vous me l'avez appris, retrouver votre petite fille ? dit maître Jacques sans autre préambule.

— Oui, s'il vous plaît.

— Ah ! monsieur, dit maître Jacques en prenant un ton de découragement, il me faut vous apprendre une nouvelle des plus malheureuses ; c'est une pénible nécessité pour moi… mais…

— Parlez vite, de grâce, dit M. des Lauriers en feignant un vif empressement ; mon Dieu, qu'est-il arrivé ?…

— Je n'ose vous le dire.

— Oh ! je prévois… ma fille est morte !

— C'est comme si elle l'était… elle m'a été enlevée !

— Que dites-vous ? dit M. des Lauriers en s'arrachant les cheveux… Enlevée ?… Par qui ?

— Par des brigands, monsieur, par des scélérats…

— Par des brigands ! Et vous n'avez pu éviter ce malheur ?

— Soyez-en persuadé.

— Pauvre Helmina !… pauvre enfant ! elle qui était si digne de vivre, de briller sous les yeux de son père.

Et M. des Lauriers fit semblant de verser des larmes ; maître Jacques l'imita.

— Écoutez, monsieur, dit M. des Lauriers, il faudra faire des perquisitions pour la retrouver ; je n'épargnerai rien et j'espère que, de votre côté, vous m'accorderez vos services.

— Avec plaisir, monsieur ; mais je crois qu'il serait inutile…

— Nous essaierons toujours ; demain donc, nous irons ensemble, vous et moi, accompagnés d'un certain nombre de personnes, faire une fouille générale dans le

Cap-Rouge ; on dit que c'est là le refuge de tous les brigands, n'est-ce pas, mon ami ?

M. des Lauriers l'examina attentivement.

— Oui, dit maître Jacques embarrassé ; mais il est bien probable qu'on se trompe ; il n'est pas croyable que les voleurs se tiennent si près que cela de la ville.

— Nous verrons cela ; mais avant, monsieur, quoique je ne doute nullement de votre franchise et de votre fidélité à mon égard, je crois qu'il sera nécessaire que vous me donniez des preuves convaincantes et solides comme quoi ma fille a été réellement enlevée sans que vous y ayez pris aucune part.

— Comment ! dit maître Jacques, comment, vous oseriez croire ?…

— Je ne crois rien, encore une fois, je ne vous soupçonne nullement ; mais avant d'aller plus loin, il faut que je sois certain de cet enlèvement, qui me paraît assez extraordinaire ; et votre parole, toute sacrée qu'elle peut être suivant moi, ne serait peut-être pas suffisante aux yeux d'autres personnes presque aussi intéressées que moi dans cette affaire. Ainsi donc, il vous faudra faire votre déposition devant un magistrat, ou bien me produire des témoins.

— Quant à des témoins, dit maître Jacques, je pourrai vous en donner deux bons ; et si vous n'êtes pas satisfait, je suis prêt à jurer…

— Assez, dit M. des Lauriers incapable de maîtriser plus longtemps son ressentiment, assez, M. Jacques ; je connais maintenant vos dispositions… je sais ce que vous êtes capable de faire. À quoi sert de perdre le temps inutilement ? Sachez, M. Jacques, que je connais l'auteur du crime.

— Mais vous badinez, dit maître Jacques en faisant l'étonné et en frissonnant… ce n'est pas possible !

— Très possible ; et je sais fort bien que vous le connaissez vous-même.

— Allons, allons, plus de badinage.

— Je parle sérieusement, dit M. des Lauriers en fixant attentivement maître Jacques ; il ne s'agit pas de rire et de jouer ici, entendez-vous ?

— Écoutez donc, mon cher ami, dit maître Jacques en s'impatientant, je n'ai pas de leçons à recevoir de vous, probablement ?

— Plût à Dieu que vous en eussiez eu, dit M. des Lauriers avec une sévérité qui augmentait de plus en plus ; mais aujourd'hui il n'est plus temps, il ne s'agit plus de cela. Vous dites donc que vous ne connaissez pas le coupable ?

— Vous moquez-vous ?

— Et vous pouvez le jurer ?

— Tant qu'il vous plaira.

— Et pouvez-vous jurer que ce n'est pas vous ?

— Si vous voulez m'insulter, dit maître Jacques avec colère, vous le paierez plus cher que vous ne pensez ; vos questions sont par trop impertinentes pour que je les souffre plus longtemps ; avec tout autre qu'un ami il y a longtemps que je les aurais punies.

— Moi, votre ami, monsieur ? Je maudis le jour où je vous ai connu.

— Et cependant vous avez été bien fier de me confier votre fille… Voilà donc votre reconnaissance.

— Parce que je vous croyais alors honnête homme.

— Et pour qui me prenez-vous donc à présent ?

— Pour ce que vous êtes, un scélérat, un voleur ! dit M. des Lauriers avec mépris, et en le regardant avec fermeté et courage.

Maître Jacques bondit de rage.

— Vous prouverez, monsieur, vous donnerez vos témoins ; je vous montrerai, moi, ce que c'est que d'insulter sans raison un homme d'honneur.

— Et moi, dit M. des Lauriers, infâme scélérat, je vais te faire voir immédiatement que je peux prouver ce que je viens d'avancer. Puis, ouvrant la porte : Maurice, s'écria-t-il, Maurice !

Maître Jacques frémit horriblement.

— Voilà, ajouta M. des Lauriers, voilà l'homme qui va te condamner ; c'est lui qui m'a tout déclaré. Tu ne diras pas qu'il en a inventé ; tu sais qu'il connaît tous tes crimes aussi bien que toi… Parle Maurice ! N'est-il pas vrai que c'est maître Jacques qui t'a perdu, qui t'a entraîné dans le crime ?

— C'est vrai.

— Il ment, le pendard, il ment, dit maître Jacques, ou que Satan m'enveloppe !

— Tais-toi, monstre !

— Quand je le voudrai.

— Et Julien, continua M. des Lauriers, ne doit-il pas tout son malheur, sa scélératesse à maître Jacques ?

— C'est encore vrai.

— Et pour tout dire en un mot, peux-tu affirmer que tous les crimes dont Québec a été le théâtre depuis quelque temps ont été commis par lui ?

— Je puis le jurer.

Maître Jacques fut près de se jeter sur Maurice.

— Venons maintenant, dit M. des Lauriers, à ce qui nous regarde plus particulièrement. Il y a quelques jours, ne t'a-t-il pas montré une lettre que je lui envoyais et dans laquelle je lui redemandais ma fille ?

— Je ne nie pas cela, dit maître Jacques pour faire voir qu'il était sincère.

— Et nieras-tu que, pour favoriser ta passion honteuse, pour enlever ma fille à un jeune homme estimable qui l'aimait, tu l'as fait enlever et transporter dans le bois du Cap-Rouge ? Nie-le, si tu l'oses.

— Je le nie.

— C'est vrai, dit Maurice ; il ment.

— Tu mens toi-même, vil coquin, dit maître Jacques en lui lançant des regards foudroyants.

— Tu vas nier aussi probablement, ajouta M. des Lauriers, que cette lettre contrefaite de la manière la plus infâme ne vient pas de toi ?

— Je le nie.

— C'est bien, courage ; tu n'avoueras pas non plus que tu as montré cette même lettre à Helmina, que tu l'as demandée en mariage et que tu l'as menacée, sur son refus formel, d'une mort horrible. Tu vas dire effrontément aussi que tu n'as jamais formé le projet de tuer son amant, de me tuer moi-même, si tu t'apercevais que je n'épargnerais rien pour retrouver ma fille. Misérable ! scélérat que tu es ! dit M. des Lauriers avec indignation ; et tu croyais pouvoir vivre ainsi dans le crime sans jamais être reconnu ! tu croyais qu'il n'existe pas dans le ciel un Dieu tout-puissant, vengeur de l'innocence, un Dieu juste et inexorable pour punir le vice et bénir la vertu ! Prépare-toi donc à apprendre le contraire ; je vais rassembler ici devant toi toutes tes victimes ; elles-mêmes te jugeront comme tu le mérites.

M. des Lauriers, se tournant du côté de la porte :

— Maurice, lui dit-il, faites entrer…

Maurice sortit et revint aussitôt, suivi de Julien.

Maître Jacques le regarda sans rien dire. Après lui parurent M. D…, Émile et Stéphane, qui s'écria en voyant maître Jacques :

— Mon père, mon père, partons ; voici maître Jacques, le brigand.

— Non, non, cher ami, dit M. des Lauriers, demeurez ici.

Puis, s'adressant au brigand :

— Tu vois que tu es déjà bien connu.

Maître Jacques se mordait les poings et ne disait plus rien.

— Mon cher ami, dit M. D… en serrant la main de M. des Lauriers, que je suis aise de te revoir !…

Stéphane passa de la crainte à la surprise.

— Viens donner la main au compagnon d'enfance de ton père, cher fils, dit M. D…, viens.

Stéphane obéit avec quelque hésitation.

— Que signifie tout ceci, monsieur ? demanda-t-il avec inquiétude.

— Vous allez le savoir, mon cher enfant, dit M. des Lauriers avec une douce gaieté, permettez-moi de vous appeler ainsi… Que ce jour où j'ai découvert le plus noir des forfaits soit en même temps celui du bonheur le plus pur et le plus délicieux. Maurice, allez chercher ma fille.

Helmina parut aussitôt, suivie de Julienne et de Madelon.

— Grand Dieu ! que vois-je ? Helmina… la fille du brigand !

— Non, Stéphane… la fille d'un honnête homme… ma fille, si vous l'aimez mieux.

— Helmina, votre fille ! répéta Stéphane.

— Mais c'est incroyable, dit M. D…

— Dieu des bons anges, queu nouvelle, s'écria Madelon en frappant des mains.

— Je suis trahi, dit maître Jacques en tombant sur une chaise, tout est découvert.

— C'est donc bien vrai ? dit Stéphane.

Puis, se jetant aux genoux de M. des Lauriers :

— Je l'aime, monsieur, permettez qu'elle soit mon épouse.

Il ne put en dire davantage ; il porta les yeux sur Helmina, qui rougit et vint tomber dans les bras de son père !…

—Soyez heureux, mes chers enfants, dit M. des Lauriers attendri jusqu'aux larmes et en leur joignant les mains ; nous permettons votre union, que Dieu la bénisse !… Soyez heureux !

— Puissiez-vous apprendre dans ce passage subit de l'infortune au bonheur le plus parfait à ne jamais désespérer de la Providence, dit M. D… en embrassant ses deux enfants.

— Oh ! bon saint Antoine ! dit Madelon, ça va faire un beau p'tit mariage rach'vé.

— Eh bien ! Stéphane, vous allez donc enfin être heureux, dit Émile en lui serrant la main ; je suis content, je vous en félicite.

— Et moi aussi, dit Maurice, je veux apprendre de vous à goûter la joie de l'honnête homme.

Helmina n'avait pu résister à cette scène si délicieuse et si touchante, à laquelle son cœur était encore tout à fait inaccoutumé ; elle s'était évanouie sur le sein de son père. Tandis que tout le monde s'empressait tumultueusement autour d'elle, maître Jacques ouvrit une fenêtre qui donnait dans la cour et s'évada sans que personne n'y prit garde. Ce ne fut qu'après qu'Helmina fut parfaitement revenue à elle que l'on s'aperçut de son absence.

— Il s'est sauvé, dit Maurice ; je vais courir après.

— Non, non, mon brave, dit M. des Lauriers, laissez-le aller, le malheureux ; que Dieu ait pitié de lui. Et vous, mes amis, ajouta-t-il en s'adressant à Julien et à Maurice, puisqu'il est bien vrai que vous voulez abandonner le sentier du crime…

— Quoi ! dit Madelon en interrompant, t'as été voleur, toi, Maurice… Oh ben ! c'est affreux, ça.

— Pardon, Madelon, dit Maurice en se jetant dans ses bras, pardon.

— Tout est pardonné dans ce beau jour, dit M. des Lauriers ; ne pensons plus au passé. Je suis sur le point d'acheter deux terres dans une campagne voisine, Julien en cultivera une, et toi l'autre ; nous irons vous voir de temps en temps, ce sera notre promenade favorite.

— Mon père, dit Helmina, Julienne restera avec nous.

— Non, Helmina, il faut qu'elle suive son père, mais je te donnerai une autre compagne, Élise, la fille de Mme La Troupe. Quant à cette dernière, je vais tout faire en mon pouvoir pour l'arracher des mains de la justice.

— Hélas ! monsieur, dit Stéphane, vous ne serez pas à cette peine, la malheureuse s'est empoisonnée de désespoir.

— Oh ! mon Dieu ! s'écrièrent à la fois Émile, Helmina et Julienne.

— Et sa petite fille, où est-elle ? demanda M. D…

— Elle doit être chez moi à présent, j'ai donné ordre à Magloire d'aller la chercher.

— C'est bien, tout est terminé maintenant.

— Oui, dit M. des Lauriers, et il ne nous reste plus qu'à fixer le mariage de Stéphane avec Helmina à demain ; nous épargnerons autant que possible le trop d'éclat et de tumulte. Vous êtes tous de la noce, mes amis, c'est un repas de famille où il vous faut assister…

Le dénouement était facile à prévoir.

Il n'est que cinq heures, l'aurore vient de disparaître et les conviés sont déjà sur pied. Il n'y a pas jusqu'à Magloire qui a endossé l'habit de drap vert à l'antique et se pavane sous un énorme chapeau de castor à longs poils et à larges bords.

La cloche tinte ; on se met en marche et on suit gaiement la route de l'église…

Puis un tumulte se fait entendre, et on aperçoit une foule qui se presse autour d'un cadavre. M. des Lauriers et M. D… en approchant de plus près reconnaissent le corps d'un noyé, c'est celui de maître Jacques.

— N'en parlons pas, dit M. D… cela pourrait peut-être troubler notre petite fête.

Une heure après, les fiancés sont unis ; tout est fini heureusement. Le reste de la journée se passe gaiement comme le jour d'une noce et, le soir, le soleil se couche radieux pour les nouveaux époux.

FIN

La fille du brigand a précédemment été publié dans *Le Ménestrel,* 29 août-19 septembre 1844, puis reproduit dans James HUSTON (dir.), *Le Répertoire national ou recueil de littérature canadienne,* Montréal, De l'imprimerie de Lovell et Gibson, t. III, 1848, p. 84-197 ; Montréal, Imprimerie Bilaudeau, 1914, 135 p. ; dans *Les meilleurs romans québécois du XIXe siècle,* édition préparée par Gilles Dorion, Montréal, Fides, 1996, p. 231-320.

QUELQUES ÉTUDES À CONSULTER AU SUJET DE *LA FILLE DU BRIGAND*

DORION, Gilles, « Un roman d'aventures québécois du XIXe siècle, *La fille du brigand,* d'Eugène L'Écuyer, ou : De l'auberge à l'église », dans Roger BELLET et Philippe RÉGNIER (dir.), *Problèmes de l'écriture populaire au XIXe siècle,* Limoges, PULIM, 1997, p. 77-88. (Coll. « Littératures en marge ».)

HUDON, Jean-Guy, « Eugène L'Écuyer », mémoire de maîtrise, Québec, Université Laval, 1971.

HUDON, Jean-Guy « *La fille du brigand,* roman de Pietro (pseudonyme d'Eugène L'Écuyer) », dans Maurice LEMIRE (dir.), *Dictionnaire des œuvres littéraires du Québec,* t. I : *Des origines à 1900,* Montréal, Fides, 1978, p. 262-265.

LEMIRE, Maurice, et Denis SAINT-JACQUES (dir.), *La vie littéraire au Québec,* t. III : « *Un peuple sans histoire ni littérature* », Québec, Les Presses de l'Université Laval, 1996, p. 90, 115, 167, 398-399, 403 et 516.

LORD, Michel, *En quête du roman gothique québécois. 1837-1860. Tradition littéraire et imaginaire romanesque*, Québec, Nuit blanche éditeur, 1994. (Coll. « Études ».)

TABLE DES MATIÈRES

DANS LA MÊME COLLECTION

1. Michel Freitag, *Le naufrage de l'université*
2. Denis Saint-Jacques (dir.), *L'acte de lecture*
3. Daniel Chartier, *Guide de culture et de littérature québécoises*
4. Jeanne Valois, « *Au nom de Dieu et du Profit* »
5. André Gervais, *Petit glossaire des « Cantouques » de Gérald Godin*
6. Maurice Lemire, *Les écrits de la Nouvelle-France*

ACHEVÉ D'IMPRIMER
CHEZ AGMV
MARQUIS
IMPRIMEUR INC.
CAP-SAINT-IGNACE (QUÉBEC)
EN NOVEMBRE 2001
POUR LE COMPTE DES ÉDITIONS NOTA BENE

Dépôt légal, 4e trimestre 2001
Bibliothèque nationale du Québec